姫路BOOK

中元孝迪 監修／姫路BOOK編集委員会 編

はじめに――豊かな「姫路の地域資源」

ようやく、といっていいかと思いますが、姫路を総合的に学び、紹介する本を、初めて出版することができました。

これまで、姫路に関する書籍は、いくつか出されてきましたが、大方の傾向としては、特定のテーマに絞ったものや、ある分野に特化したもの、または研究書といった類のものでした。例えば、「特定のテーマ」としては、姫路城、書寫山圓教寺といった特別な観光スポットを紹介したもの、あるいは姫路の企業、人物、まつりなどという「特定分野の情報」をまとめた出版物が、単体で発行されてきたということです。

考えてみますと、姫路には、こうした多くのテーマや分野ごとに、本としてまとめるのに十分な情報があったということなのです。それは、姫路という地域が、古来、「大国・播磨」における〝中核都市〟であったという地政学的な優位性を保ってきたからなのです。

ことに、近代に入るまでの姫路・播磨は、畿内と畿外をつなぎ、ヒト、モノ、カネ、情報が自在に往来する重要な結節点となっていました。行き交う最新情報を的確に取り入れ、内外の先進文化をいち早く受け入れることができる絶好のポジションにありました。その上、全国屈指の高い生産性を誇り、明治初年までは、その納税額は、地域として日本のトップクラスだったのです。

こうした歴史の流れをなぞっていきますと、時代ごとに、特徴的な事象に出合うことになります。古代は、大和政権と対立した後、急転、強力なパートナーとなってそれを支えていきます。古代の税制「租庸調」を見てみますと、全国66カ国のなかでずば抜けて多くの品目を納めています。このころから、産業の多様性を誇っているのです。中世には、足利政権を誕生させた豪族・赤松氏が躍動し、姫路城の礎を築きます。近世は、徳川幕府の西の最重要拠点として位置付けられ、池田氏の後、姫路城には譜代の有力大名が次々と入封、地域の勢いはピークに達し、姫路は江戸時代切っての城下町として大きく成長していきます。

残念ながらこの勢いは、近代に入って鈍ります。1871（明治4）年、廃藩置県で播磨一円をエリアに「姫路県」（後の「飾磨県」）が誕生しますが、1876（同9）年、廃県となり、現在の「兵庫県」に強制合併させられます。「県都」としての地位を失った姫路は、近代化の中で大きなハンディを背負うことになります。しかし、それでも、地域での挑戦は続き、やがて、臨海部では、五大工業地帯の一角を担い、いくつもの先進技術を駆使して日本の高度経済成長を牽引していきました。

このような歴史的蓄積はむろんのこと、先進文化をいち早く受容してきたという歴史的体験、山・川・平野・海を擁する変化に富んだ豊かな自然など、まれにみる好条件をベースに、姫路ではさまざまな「地域資源」が生まれます。わが国初の世界文化遺産となった国宝姫路城、多くの名刹、時代を動かした人物などをはじめ、歴史、文化、産業、伝統工芸、特産、味……など、各分野にわたり実に多様で、多彩な「地域の宝」が存在するのです。

これらは、どれも〝全国区〟になり得るものではないでしょうか。だからこそこれまで、多くのテーマごとに「姫路本」とでも呼べる出版物が出されてきたのでしょう。しかし、こうした個別の書物だけでは、「姫路の力」を十分にとらえることはできません。地域資源を一体的にとらえ、姫路を総合的に理解していくには、これらの情報を分かりやすく、きちんと整理していく必要がありましょう。

本書は、こうした考え方を踏まえ、編集、出版したものです。姫路を丸ごと知るための初めての本となります。最も手軽で適切な「姫路入門書」として、また、「姫路観光文化検定」のテキストとしても活用していただければ幸いです。

なお、本書の執筆には、それぞれ得意のテーマごとに、8人が分担して当たりました。それぞれの個性を尊重しつつ、文体はできるだけ整えたつもりです。出版に当たり、多くの方々にご協力をいただき、先達の皆様にも、貴重なご教示を賜りました。深く感謝申し上げます。

2013年8月

監修者　中元 孝迪
（播磨学研究所所長、兵庫県立大学特任教授）

CONTENTS

姫路城周辺拡大図
城西小
城乾小
城乾中
城の西局
姫路文学館
雲松寺
野里小
兵庫県立
歴史博物館
日本城郭研究センター
JR播但線
姫路北高
姫路東高
姫路市立美術館
千姫の小径
姫路城
好古園
淳心学院
姫路聴覚
特別支援学校
賢明女子学院
城東小
姫路市立動物園
白鷺小
白鷺中
姫路局
東光中
京口駅
播磨国総社
大手前通
船場小
船場川
まちづくりステーション
ループバス乗り場姫路駅前
ループバス降り場姫路駅前
山陽姫路駅
姫路観光なびポート
JR姫路駅
JR山陽本線
じばさんビル
山陽新幹線
雪彦山
やすとみグリーン
ステーション鹿ヶ壺
至山崎IC
中国自動車道
因幡街道
至福崎IC
塩田温泉郷
敬業館
溝口
船津IC
香呂
日本玩具博物館
播但連絡道路
書寫山圓教寺
書写山
ロープウェイ
書写の里・美術工芸館
播但線
仁豊野
山陽自動車道
砥堀IC
山陽姫路西IC
砥堀
姫路
セントラルパーク
姫新線
太市
兵庫県立こどもの館
余部
姫路市自然観察の森
星の子館
野里
山陽姫路東IC
太子上太田IC
姫路科学館
播磨高岡
姫路城
京口
太子東IC
山陽姫路
姫路
姫路市立水族館
手柄山温室植物園
手柄
姫路市埋蔵
文化財センター
山陽本線
英賀保
姫路西IC
御着
網干
はりま勝原
亀山
姫路バイパス
西飾磨
飾磨
ひめじ別所
山陽天満
広畑
山陽新幹線
姫路JCT
平松
山陽電鉄
夢前川
妻鹿
姫路東IC
山陽網干
白浜の宮
八家
的形
大塩
家島諸島

第1章

まち・観光

ぐるり姫路城探訪

世界文化遺産・姫路城の魅力を限られた紙面で紹介するのはとても難しい。ひとことで言えば、白鷺城とも呼ばれる壮麗な美しさに、鉄壁ともいえる防御機能を兼ね備えた比類なき城郭建築だということだが、築城以来４００年の間、一度も戦火にまみえることがなかった「不戦の城」でもある。

数多くの伝説や歴史にも彩られており、観光スポットとしての見どころもたっぷり。見学コースに従ってご案内しよう。

1

2

3

さあ、ご一緒に白亜の大天守へ

入城口から①菱の門を潜ると正面に「い」の門、左手に西の丸、右手に三国堀が控えている。どちらに向かうか迷うところである。

姫路城をよく知る人は、見学のポイントとして「(城の)攻め手のつもりになって天守を目指せば、姫路城の縄張の巧さや卓越した防御機能がよくわかる」と語るが、とりあえずここでは所要時間1時間半から2時間の「じっくりコース」の見学順路に従って、まず西の丸に向かう。

西の丸は姫路城を築いた池田氏の転封後、新たに城主となった本多忠政が、嫡男忠刻《ただとき》と千姫《せんひめ》夫妻のために造営したもので、いくつかの隅櫓と渡櫓が連結されている。

ワの櫓から入り、板張りの百間廊下を歩いていくと②長局《ながつぼね》で、千姫に仕えた侍女たちが使用したとされる小部屋が続き、ようやくのことで③化粧櫓に出る。長男幸千代を幼くして亡くしたため、跡取りとなる男児の誕生を願い、朝な夕なに西の丸から男山千姫天満宮を遥拝する千姫のために設けられた休息所で、居住性に配慮したのか畳敷きの明るい部屋になっている。

西の丸を出て、天守に向かう。正面に大天守がそびえ、左手に「は」の門。テレビの時代劇などでよく見る④お馴染みの坂道で、天守が近いと勇んだ攻め手が坂をひた走り、門を抜け、石垣の際まで進むと、道は一転ターンして再び天守から遠ざかる。落胆した攻め手は仕方なく次の「に」の門に向かうことになるが、その背中に城方からの

4

5

銃弾が容赦なく襲いかかる仕掛けになっている。

続く「に」の門も天井の低い地下通路といった感じで、屈んでここを抜けようとする攻め手に対して、城方は上から床板を外して槍を突き出せるようになっており、攻め手としては〝やってられない〟感じ。

続く「ほ」の門も攻め手が少人数しか通れない狭さと低さで、まさしく姫路城の鉄壁ぶりを物語っており、見た目の優美さだけではない城本来の魅力が伝わってくる。

「ほ」の門を潜ると、城が立つ姫山の地形に沿って塩櫓などが続く腰曲輪。見学順路ではそのまま直進して「へ」の門を抜け、備前門から備前丸に入るようになっているが、ここにも仕掛けが施されている。

「ほ」の門を潜ってすぐに⑤秀吉時

6

7

代の遺構とされる油壁があり、その後ろに「水の一門」が隠れているのだ。実はここから「水の二門」「水の三門」……と進んで行く方が天守への近道なのだが、その道が下り勾配になっているため、天守に「上る」気になっている攻め手からすれば「下る」など思いもよらないこと。この心理的な錯覚を利用して、攻め手を遠回りさせようという仕掛けなのである。

　ともあれ、ここでは順路に従って腰曲輪から備前丸に入る。備前丸は輝政の居館があった場所で、ここから見上げる⑥大天守はまさに威風堂々。唐破風、千鳥破風の軒の連なりも見事なら、白漆喰で塗り固めた軒裏の造形の美しさにも溜息がこぼれる。

　いよいよ天守の入口に至り、中に入ると真っ暗な空間。姫路城は外観は五重だが内部は地下1階、地上6階になっていて、ここは穴蔵と呼ばれた地

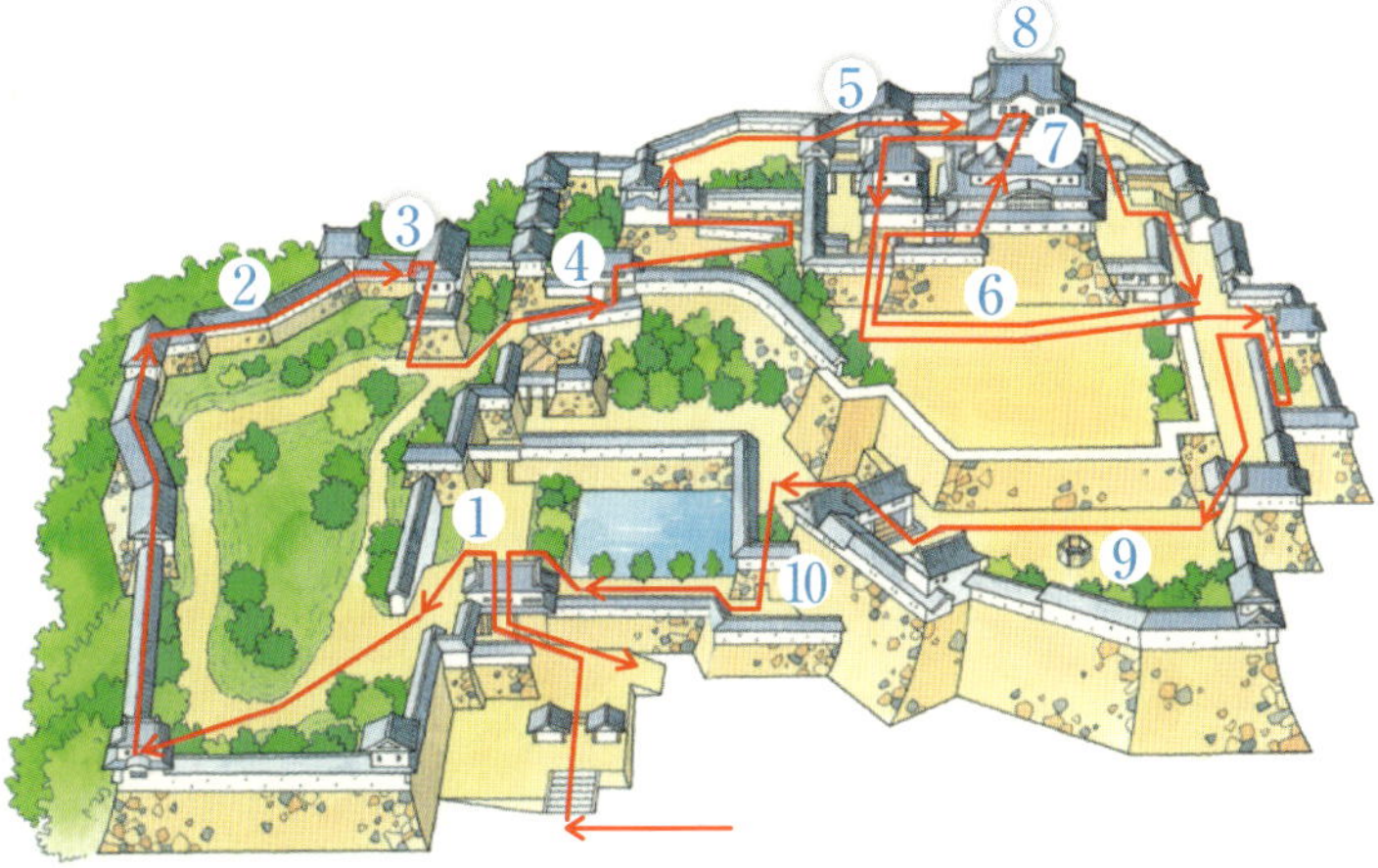

9

8

10

階。目が慣れてくると薄明かりの中に東西2本の太い心柱（大柱）が浮かび上がり、籠城に備えた厠（トイレ）や調理用の大きな流し台も見える。

そこから急な階段を1階、2階と上り、むき出しになった太い梁や柱、幾何学的な美しさを見せる火縄銃や槍などの武具掛け等に目をやりながら3階に進んで行く。間取りは2階以下と違って外側に通路や縁側のない大広間一室で、天井が高いため、4階に向かう階段の途中には踊り場が設けられている。

⑦4階に至ると周りは石打棚で囲まれており、窓から敵兵を攻撃できる仕組みになっている。

さらに5階に進むが、ここは暗く狭い屋根裏部屋の雰囲気で、ようやくの思いで6階に着くと、明るい陽射しにあふれていて、ほっと一息つく。⑧四方の窓から姫路の市街地や広峰山、遥か遠くの瀬戸の島々まで望むことができ、その快適さが階段をひたすら上った疲れを癒してくれる。

しばしの休憩の後、再び順路に従って一階まで下り、姫路城の美しさを引き立てている小天守とそれらを結ぶ渡櫓を通って地上に降り立つ。そして、先ほどの備前丸から「腹切丸」の俗称がある帯郭櫓、⑨「お菊井戸」のある上山里と下っていき、門の先に石垣の扇の勾配が見られる「ぬ」の門、さらには外からは門とはうかがえない埋《うずみ》門の⑩「る」の門を抜け、三国堀の横を通って菱の門に戻り、姫路城と別れを告げる。

紙面に限りがあるので駆け足の案内になってしまったが、建物の形状や用途が異なる数多くの門、時代によって積み方に違いが見られる石垣、壁や塀に死角なく設けられた狭間《さま》（鉄砲や矢を放つための正方形や丸の形をした

※2009年から2015年春まで大天守保存修理工事が行われており、期間中、大天守への登閣はできません。

穴）など、見どころが尽きることがない姫路城。じっくりと時間をかけて見て回って欲しい。

MEMO
姫路城管理事務所
本町68
☎079-285-1146

姫路城の四季を彩るイベント

姫路城のサクラ

ソメイヨシノ、シダレザクラ等約1000本が三の丸広場や姫山公園に咲き競い、日本の「さくらの名所100選」にも選ばれている。4月上旬には三の丸広場で「姫路城観桜会・お花見太鼓」や、西の丸の庭園をライトアップする「姫路城夜桜会」も開かれる。

千姫ぼたん園

三の丸の高台にあるぼたん園。例年4月下旬から5月上旬にかけて、姉妹都市の太原市（中国）から届いた紫霞仙など約2000株のぼたんが咲き誇る。4月下旬には「千姫ぼたん祭り」も開催される。

姫路城観月会

三の丸広場に設けられた特設ステージで、中秋の名月に合わせて開催される。ライトアップされた姫路城をバックに琴や和太鼓などの演奏が行われ、グルメブースで姫路・播州の地酒などが販売される。

和船

姫路城内堀では、姫路藩和船建造委員会が建造した木造和船「はりま」を活用して、和船の操船体験会や、城主が船遊びをした昔を思い起こし、船からの視線でお城の佇まいを楽しむ文化観光学習船運航事業が季節限定で行われている。

姫路が生んだ稀代の軍師

黒田官兵衛

福岡市博物館蔵

姫路城で生まれ、羽柴秀吉の軍師として天下統一事業を支えた黒田官兵衛。関ヶ原の合戦の後、息子の長政の代に筑前52万3千石の太守となった黒田家だが、その繁栄の礎を築いた地こそ、祖父重隆、父職隆《もとたか》、官兵衛（孝高《よしたか》）と、三代にわたって本拠を構えた姫路にほかならない。

平成26年のNHK大河ドラマの主役・黒田官兵衛こそ、姫路から天下に翔けた男なのである。

福岡市博物館蔵
（藤本健八撮影）

黒田家と姫路

福岡藩が編纂した『黒田家譜』によれば黒田家は佐々木源氏の末流で、近江国の黒田村（滋賀県長浜市）から備前国福岡（岡山県瀬戸内市）に移り、重隆の代に姫路に移り住んだという。

その後、重隆は廣峯神社の御師《おし》（神職）に神社の神符とともに家伝の目薬を売ってもらうことで財を蓄え、御着城主の小寺家に仕えて姫路城代となり、職隆、官兵衛孝高へと引き継がれていくのである。

官兵衛の生涯

家督を継いで姫路城代となった官兵衛は、織田につくか毛利につくかで迷っていた主君小寺政職《まさもと》に対し、織田につくよう説得。自ら使いに立って信長に中国の毛利攻めを進言。播磨入りした信長旗下の羽柴秀吉に従って調略にその才を発揮し、多くの戦功を立てるが、三木城の別所氏が毛利方に寝返り、織田家の武将荒木村重までが造反。村重を思いとどまらせようとした官兵衛は単身伊丹の有岡城に乗り込むが、逆に幽閉され、1年後に救出されたときには足が不自由な体になっていた。

その後、毛利方の諸城を落として播磨を平定した秀吉に、官兵衛は自らの居城を差し出し、秀吉はそこに新たな姫路城を築いて中国地方へ進撃を開始。官兵衛の水攻め策によって備中高松城を落城寸前まで追い詰めるが、そこに本能寺の変。信長の死に茫然自失する秀吉に官兵衛は「今こそ天下とりのチャンス」と直言。気を取り直した秀吉は「中国大返し」と呼ばれる強行軍を敢行し、明智光秀を撃ち破るのである。

こうして天下を引き寄せた秀吉の下で、官兵衛はその後も大いに働き、豊前6郡12万石の中津城主となるが、関ヶ原の合戦が始まると、徳川家康についた息子長政とは別に中津で兵を募り、「九州の関ヶ原」と呼ばれる石垣原《いしがきばる》の戦いに勝利。その後も快進撃を続けて九州の大半を押さえるが、予想に反して関ヶ原の合戦は一日で決着。「九州を平定して、あわよくば天下を」という官兵衛の野望はここについえたのだった。

晩年の官兵衛は、長政が築いた福岡城内の隠居所で、そうした野望など忘れたかのように、生涯ただ一人の妻であった幸圓（光）とともに穏やかな日々を過ごしたと伝えられている。

官兵衛ゆかりの地

1 姫路城（本町）

『黒田家譜』によれば、官兵衛は姫路城に生まれたとされるが、その頃の姫路城がどのような城であったかはわかっていない。

現在の姫路城は、秀吉が築いた姫路城を撤去して池田輝政が新たに築いたものだが、天守周辺には官兵衛が秀吉に普請方を命じられて築いた当時の石垣も残っている。

また「に」の門櫓には十字紋の鬼瓦が残っており、キリシタンだった官兵衛ゆかりのものではないかとの説もある。

2 廣峯神社（広嶺山）

素戔嗚尊を祭神とし、奈良時代に吉備真備が神託を受け、勅命により新たに社殿を造営したと伝えられ、農業の神として広く信仰を集めた。京都・八坂神社の本社ともいわれ、官兵衛の祖父重隆が、神社の神符とともに家伝の目薬を売り歩いてもらうことで黒田家の礎を築いた。

播磨国総社（総社本町）

歴代姫路城主の崇敬を受け、官兵衛の父職隆も拝殿や表門を再建。揖東郡などで1万石の大名になった官兵衛も新たに制定した黒田家の軍旗の祈祷を受け、神社に制札を与えるなど保護に努めた。

3 御着城跡（御国野町御着）

黒田家三代が仕えた小寺氏の居城跡。本丸跡に城をイメージした姫路市東出張所が立つ。

4 黒田家廟所（御国野町御着）

御着城跡の一画にあり、官兵衛の祖父重隆と生母明石氏の供養塔が並ぶ。

5 増位山随願寺（白国）

聖徳太子が高麗の僧・恵便に建てさせ、後に行基が中興したという天台宗の古刹。官兵衛の叔父高友（休夢）が僧となって地蔵院に住み、有明の峰に構（城）を築いたとされる。三木城の別所氏によって堂塔がこと

ごとく破却されたが、秀吉によって再興された。

6 青山古戦場跡（青山）

官兵衛が初めて指揮を執り、龍野の赤松政秀の軍勢を破った古戦場跡。夢前川西岸の青山に布陣した赤松勢に対し、官兵衛は東岸の土器山《かわらけやま》（現在の船越山）に陣を敷き、夜襲によって勝利したという。

7 国府山城跡（飾磨区妻鹿）

市川河口左岸の国府山（甲山）に官兵衛の父職隆が築いた城。海に面した要地に位置し、自らの居城・姫路城を秀吉に譲り渡した官兵衛が職隆とともに移り住んだ。

8 黒田職隆墓所（飾磨区妻鹿）

国府山城の南に位置する職隆の墓所。地元では「筑前さん」と呼ばれている。

9 英賀城跡（飾磨区中浜町）

夢前川の河口近くにあった三木氏の居城。英賀には播磨の本願寺門徒の拠点である英賀御堂があり、三木氏は門徒衆とともに毛利方について織田方に敵対したため、秀吉が大軍を擁して落城させた。官兵衛も秀吉に従って町坪にあった出城を落としている。

10 英賀神社（飾磨区英賀宮町）

18台の屋台が宮入りする秋祭りでも有名な英賀彦・英賀姫を祀る古社。境内に司馬遼太郎の『播磨灘物語』の文学碑が立ち、英賀城の土塁跡も残っている。

亀山本徳寺（亀山）

浄土真宗本願寺派の古刹。英賀御堂と呼ばれた英賀本徳寺が、秀吉の命によって現在地に移された。大広間、経堂は県指定、本堂など伽藍内建築17棟は市指定文化財になっている。本堂は京都・西本願寺の北集会所を移築したもので、柱に新選組の屯所となっていた時代の刀傷が残っている。

（ひめじ官兵衛プロジェクト推進協議会提供）

書寫山圓教寺

一千年の法灯を今に伝える「西の比叡山」

姫路市の北西部にある書寫山圓教寺。966（康保3）年に性空上人によって開かれた古刹で、天台宗の三大道場の一つに数えられ、西国三十三ヵ所巡礼の第二十七番札所としても賑わいを見せている。

緑豊かな山内には数多くの堂塔が立ち並び、閑静で落ち着いた佇まいは〝西の比叡山〟の名にふさわしく、近年はハリウッド映画「ラストサムライ」などのロケ地としても話題を呼んでいる。

写真・barman / PIXTA

壮大な摩尼殿が迎えてくれる

姫路駅から書写駅行の神姫バスに乗り、終点で下車してロープウェイで一気に「書写のお山」へ。山上駅に降り立つと、静謐で凛とした空気に包まれ、背筋がすっと伸びるのを感じる。

ほどなく志納所（拝観受付）があり、ここから本堂である摩尼殿《まにでん》まで行くマイクロバスの便もあるが、両側に続く観音像に背中を押されるようにして参道を歩いていく。

少し息が切れかかったところで仁王門に到達。ここからが圓教寺の境内で、木立の緑も一挙に深まり、したたり落ちるような濃い影が霊場らしい幽遠な雰囲気を醸し出している。

後白河法皇も参籠された国指定重要文化財の壽量院、食事や宿泊ができる圓教寺会館、圓教寺の迎賓館でもある十妙院などが続き、道が下りにかかると正面に舞台造り（懸造り）の摩尼殿が現れる。その壮大さもさることながら、下から仰ぎ見ると、舞台を支える脚組みの一つ一つが実に美しく、思わず見惚れてしまう。

摩尼殿に入ると、手向けられた香の中に西国巡礼の人々の読経が響き、その響きに押し出されるように本堂の南側に出ると広い腰縁。下を覗くと行き交う参拝者たちが豆粒のように見え、改めて舞台の高さを感じるが、この縁

摩尼殿の腰縁からの眺め

に夏場などは天然の涼風が吹き渡り、「極楽の余り風」と、独特の言い回しで呼ばれている。

摩尼殿の下から長い急な坂道を上っていくと、突然視界が開け、広大な白州をコの字型に囲む三つの伽藍が視界に飛び込んでくる。僧侶の学問と修行の場だった大講堂、学問と寝食の場だった食堂《じきどう》、常行《じょうぎょう》三昧をするための道場だった常行堂で、総称して「三之《みつの》堂《どう》」と呼ばれている。

いずれも現在の建物は室町時代のもので、国指定重要文化財だが、風格のある瓦の大屋根や軒下の緻密な木組み、蔀戸《しとみど》の細やかな細工など、溜息が出るほどの美しさをたたえている。

また、食堂2階は宝物館になっている。食堂本尊の僧形文殊菩薩像のほか、五大明王像、薬師如来像などの貴重な寺宝や、若い頃に書写山で修行した武蔵坊弁慶が使ったという「弁慶の机」などが展示してある。

食堂からこれまた伝説に彩られた「弁慶の鏡井戸」の横を通って進んでいくと、杉木立の向こうにひっそりと佇む奥之院が見えてくる。

中心を成すのが性空上人を祀る開山堂で、一千年の法灯を今も守り、朝夕欠かさず勤行が続けられている。

また、お堂の四隅には左甚五郎作と

三之堂

奥之院。中央が開山堂

左甚五郎作と伝わる開山堂の力士

本多家廟所

言われる力士の彫刻があり、踏ん張って軒を支えているが、北西隅だけは彫刻がなく、力士が重さに耐えかねて逃げ出していったと伝えられている。

　開山堂の傍らには「和泉式部の歌塚」が立つ。歌人として有名な和泉式部は、性空上人に会って法を聞きたいと願う中宮彰子（藤原道長の娘）のお伴をして圓教寺を訪れるが、俗世と距離を置き、ひたすら修行の道を歩んでいた上人は会うことを拒む。そこで、やむなく和泉式部が無念の思いを「暗きより暗き道にぞ入りぬべき　遥かに照らせ山の端の月」の歌に託して書き残すと、その歌に感じるところがあったのか、上人は一行を呼び返し、ねんごろに法を説いたという話である。

　開山堂の手前には性空上人に仕えたという護法童子の乙天、若天を祀る護法堂や、別名「弁慶の学問所」と呼ばれる護法堂拝殿もある。

　このほか大講堂の東南の一画には、姫路城主だった本多忠政や千姫の夫忠刻、忠刻に殉死した宮本武蔵の養子三木之助らが眠る本多家廟所があり、奥之院の南側には国指定重要文化財の金剛堂や鐘楼があるなど、見どころはたっぷり。歴史や文化財だけでなく手つかずの自然の宝庫としても知られるなど、いろんな意味で味わいの深い「書写のお山」である。

MEMO

書寫山圓教寺
書写2968
☎079-266-3327

体験ガイド

壽量院の精進料理
木曜日を除く
4月～11月の営業
（5名以上・要予約）
☎079-266-3553

座禅・写経体験
座禅は要予約。
写経は摩尼殿または
食堂で随時受付
☎079-266-3327

書写の鬼追い
（修正会）

修正会とは、天下泰平・五穀豊穣を祈る年頭の仏教的行事で、圓教寺では摩尼殿と白山権現で赤鬼と青鬼が鬼踊りを行う。赤鬼と青鬼は性空上人に仕え、山の守護神として祀られた若天、乙天両童子の化身と考えられているので角《つの》がない。

まちなかあるき

野里

町家が軒を並べ　城下の面影を伝える

野里地域は古く『播磨国風土記』にも「大野里」として記述があり、増位山随願寺の門前町として、また但馬道、飾磨へ通じる道が通るなど交通の要所として栄えてきた。

古くから鋳物業の盛んな地域で、千草鉄を素材とする播磨鍋（野里鍋）は播磨の名産として都にまで知られたが、羽柴秀吉・池田輝政の城下町形成以降も、商業のまち、職人のまちとして大いに賑わった。

今も一帯には漆喰壁に虫籠窓といった古い町家が残り、数多い寺社仏閣とともに情緒ある風情をたたえている。

野里の町名

昭和56年に行われた行政による区画整理や住所表記の変更で、姫路市では城下町時代の地名を含め、多くの町名が失われたが、野里地区は多くが昔のままの町名を残している。梅ヶ枝町、威徳寺町、大野町、野里慶雲寺前町、野里寺町、鍛冶町、河間町《こばさま》、坊主町、野里堀留町、米屋町、五郎右衛門邸、同心町、鍵町、生野町などで、まちなかあるきをしながら町名の由来を探る楽しさもある。

慶雲寺

1443（嘉吉3）年の創建。元は天台宗の寺院だったが、1577（天正5）年南室和尚が中興し、臨済宗妙心寺派の寺になった。南室和尚に帰仰した姫路藩主池田輝政が、姫路城築城の際の木材を寄進して本堂が再建されたという。

境内には井原西鶴の『好色五人女』などで有名な、姫路城下で起こった悲恋物語の主人公、お夏と清十郎の霊を弔う「お夏・清十郎比翼塚」があり、毎年8月9日に「お夏・清十郎まつり」が開かれている。

お夏・清十郎まつり

姫路の米問屋の娘・お夏と、室津の造り酒屋から奉公に来た清十郎の許されぬ恋の物語。清十郎は無実の罪で処刑され、お夏は発狂した後に出家し、恋人の霊を弔ったと伝えられる。まつりでは二人の供養祭に続き、野里商店街一帯でパレードや各種イベントが催される。

日吉神社

840（承和7）年に増位山随願寺の鎮守として比叡山の山王神社から勧請されたといい、山王権現と称したが、1868（明治元）年に日吉神社と改称した。

光正寺

元は慶雲寺の塔頭で、現在は観音堂として慶雲寺の南西に位置している。比翼塚も元はここにあり、悲恋物の代名詞として舞台化されることが多かったせいか、境内の階段玉垣には幕末の頃の歌舞伎・浄瑠璃関係者の名が見える。

大野家住宅

（姫路市都市景観重要建築物）

大野家は元禄時代から「鍋市」と号する鋳物屋を営んでおり、現在の建物は明治前期以前の建築と推定されている。野里地区の代表的な町家で、2004年に当初の形状を保ったまま修復され、1階部分は地域の様々なイベントに利用され、人々に親しまれている。

明珍《みょうちん》本舗

明珍家は平安時代以来、甲冑師として名高く、前橋の酒井家に仕え、酒井家の姫路入封に伴い野里に居を構えた。現在もその伝統の技を継承し、火箸や風鈴、花器などの製作にあたっている。

魚橋呉服店 （姫路市都市景観重要建築物）

主屋は南北二棟からなり、1899（明治32）年に主屋南側が住居として、1925（大正14）年に北側が呉服店として建てられ、商店街全盛期の商家の趣をよく残している。

問合先

NPO法人
野里まちづくりの会
☎ 090-9043-5130
（瀬澤）

まちなかあるき

歴史と出会える西国街道沿いの

船場・城西

この地域は、姫路城下町の成立とともに西国街道に沿って発展し、船場川の舟運によって栄えてきた古くからの商業地で、今もその頃の面影が随所に残っている。歴代藩主ゆかりの由緒ある寺院や、点在する古い町家、伝統の技を今に伝える和菓子の老舗や姫路仏壇の工房などだ。

国宝姫路城がありながら城下町らしさに欠けると言われる姫路のまちだが、ここにはまだ城下町の風情が確かに残り、長い歴史が育んできた懐かしさや感動と出会うことができる。

船場本徳寺

「御坊さん」の名で親しまれている東本願寺（浄土真宗大谷派）の別院。姫路藩主本多忠政が、地内町の旧池田家組屋敷百間四方を寄付し、池田家の菩提寺であった国清寺の建物を与えて1618（元和4）年に完成した。

境内には、琴陵中学校建設のため薬師山から移された1877（明治10）年の西南戦争の戦没兵を弔う「西南の役記念碑」や、明治維新の志士の墓碑がある。

また、第一次世界大戦の際、寺にはドイツ軍捕虜が収容されていたが、捕虜たちが母国を偲んで刻んだという石の彫刻「望郷塚」が本堂の西に残っている。

問合先
歴史と出会えるまちづくり
船場城西の会
☎ 079-293-0995（下山酒店内）

景福寺

瑞松山と号す曹洞宗の寺院。寛文年中（1661〜73）に藩主松平直矩《なおのり》によって再興され、その後藩主となった酒井家代々の菩提寺となった。境内に酒井忠学《ただのり》・忠宝《ただとみ》・忠績《ただしげ》のそれぞれの夫人の墓が並んでいる。忠学の夫人は11代将軍徳川家斉の娘、喜代姫である。

景福寺山

山上に藩主松平明矩《あきのり》の墓碑が立つほか、山腹にも姫路藩士の墓石が数多く並んでいる。

船場川

元は市川の本流の跡と推定されている。藩主の本多忠政が元和年中（1615〜24）に改修して城下から飾磨津（港）へ通じる舟運の便を開いてから船場川と呼ばれるようになった。小利木町の東、清水橋の近くに文字は全く読めなくなっているが船場川改修記念碑が立ち、材木町と吉田町の境、炭屋橋の西には船場川を上下する舟を係留したり、荷物の積み下ろしをした舟入川跡が残っている。

見星寺

室町時代の開基と伝わる臨済宗の尼寺で、藩主本多忠政の五輪塔（空風輪のみ）や、1749（寛延2）年の大洪水で亡くなった船場地区の人々の霊を弔う菩提碑がある。

農人町のノコギリ街路

城下町成立時の江戸時代の初めにつくられた町で、道に面する軒先が一軒ごとに食い違い、道の端がノコギリの刃状になった城下町独特の遺構が残っている。

初井家（非公開）

歌人で、「読売文学賞」などを受賞した初井しづ枝（1900〜76）の婚家。龍野町1丁目にある建物は江戸末期のもので、播州屈指の素封家だったという往時の面影を偲ばせている。

ダイセルの異人館

まちなかあるき

網干

歴史と文化が薫るレトロなまち並み

「網干」の名は、魚吹《うすき》八幡神社の放生会が行われる日に、氏子の漁師が殺生をやめて網を干してお参りしたことに由来するといわれ、『播磨国風土記』にも「宇須伎津」の記述が見え、古くから開発が進んでいたことがわかる。

江戸時代には姫路藩領から龍野藩領、さらには丸亀・龍野・幕府領に分かれるなど複雑な様相を示したが、一帯にはそうした歴史を示す寺社仏閣のほか、戦災にも遭わなかったため古い町家なども数多く残っており、どこか懐かしいレトロな雰囲気を漂わせている。

不徹寺（浜田）

6歳のときに詠んだ「雪の朝二の字二の字の下駄のあと」の俳句で有名な田捨女《でんすてじょ》が開いた寺。捨女は夫の死後、仏門に入り、盤珪《ばんけい》の徳を慕って網干に来て、多くの弟子を教え導いたという。

龍門寺（浜田）

全国を行脚し、難解な禅をやさしく説いて多くの信者を得た盤珪禅師が、丸亀藩主京極家の保護と網干の豪商佐々木家の援助を受け、1661（寛文元）年に再興した播磨屈指の禅宗寺院。主要建築17棟が市指定文化財。毎年4月第1日曜日とその前日の大茶碗の振舞茶の行事でも有名。

問合先
NPO法人あぼしまちコミュニケーション
☎ 079-255-8011（あぼしまち交流館）

丸亀藩陣屋跡（興浜）

龍野藩主であった京極家が丸亀に移封された後も、浜田や興浜は丸亀藩の領地として残り、陣屋が置かれた。明治に入って藩邸や倉庫は取り壊されたが、陣屋門だけが残り、今に伝わっている。

大覚寺（興浜）

余子浜村にあった釈迦堂を真言宗の光接院と改め、1556（弘治2）年に現在地に移り大覚寺と改め、浄土宗になったという。国指定重要文化財の釈迦三尊像など多くの文化財がある。

ダイセルの異人館（新在家）

1910（明治43）年、ダイセルの前身会社の工場が建築された翌年に、外国からの技術指導者の宿舎として建てられた洋風住宅。赤屋根の建物が会社の迎賓館、青屋根の建物が資料館になっている。

旧網干銀行本店（新在家）

1894（明治27）年に現在のJR網干駅近くで創業し、その後、現在地に移って本店として建築した煉瓦建て銅板葺きの洋館。現在は洋品店になっている。

誠塾（新在家）

勤王の志士で、林田藩の儒学者河野鉄兜の弟の東馬が1868（慶応4）年に開いた私塾。類例のない江戸期の私塾の建物として市指定文化財になっている。

あぼしまち交流館

歴史と文化の情報、産物の情報、地域のイベント情報など、網干に関するあらゆる情報の発信基地で、網干のまちなかあるきの拠点にもなっている。

まちなかあるき

林田

姫路に残るもう一つの城下町

姫路市には姫路城下町とは別に、市内の西北部に位置するもう一つの城下町「林田」がある。大坂夏の陣で武功を立てた建部政長が1617（元和3）年に1万石を拝領して林田藩主となったもので、以来明治になるまで10代にわたって建部家がこの地を治めた。

今も豊かな田園風景が広がるが、藩校の敬業館講堂など、往時を偲ばせる歴史・文化遺産や、歴代藩主の崇敬を受けた寺社仏閣なども数多く残り、旧因幡街道沿いの六九谷地区には虫籠窓や格子戸の古い町家が点在。城下町らしい豊かな風情を醸し出している。

林田陣屋跡

町の中心部の小高くなった聖岡は、通称御殿山と呼ばれ、林田藩の陣屋が置かれていた。現在は石垣や堀の一部、初代藩主建部政長を祀る建部神社が残り、梅の名所としても知られている。

林田藩校 敬業館講堂

1794（寛政6）年に七代藩主建部政賢《まさかた》が創設した林田藩校で、講堂のほかに聖廟・練武場・文庫などが併設されたが、現在は講堂だけが残る。

「敬業館」の額の文字は老中松平定信のものと伝えられ、教授に吉野懐古で知られる江戸後期の漢詩人・河野鉄兜らがいた。

祝田《はふりだ》神社

927（延長5）年完成の延喜式に「祝田神社」の名が見え、「式内社」と呼ばれて長い歴史を持つ神社である。1093（寛治7）年林田が京都の上賀茂神社の社領になったとき、貴船明神をここへ勧請したため、貴船神社、貴船大明神と呼ばれていた。境内に藩主の建部政宇《まさいえ》・政《まさ》賢《かた》・政醇《まさあつ》が奉納した3基の石灯籠がある。

林田大庄屋旧三木家住宅

三木家は英賀城主三木氏の出自で、羽柴秀吉によって英賀城が落城した際、林田に来て帰農したと伝えられ、江戸時代を通じて林田藩の大庄屋を務めた。

三木家住宅の敷地面積は約4200㎡（約1270坪）で、周囲は土塀等で囲まれ、南西には園池が広がっていた。敷地内には主屋、長屋門、長屋、土蔵３棟（米蔵、内蔵、新蔵）の6棟のほか、長屋西端には藩主を迎え入れるための御成門が建てられている。

主屋をはじめ6棟の建物は、1990年に兵庫県指定重要有形文化財に指定されている。

西池（鴨池）

初代藩主建部政長が水利に苦しむ領民のために水路と西池を築いた。のどかな雰囲気の景勝の地でもある。

姫路市はやしだ交流センター

ゆたりん

日帰り入浴施設で、深さ1338m、約2億1千万年前の堆積岩（丹波層群）の割れ目から温泉が湧き出している。農産物の直売所やレストランなどもある。

八幡神社

893（寛平5）年に林田8カ村の有志36人が京都の石清水八幡宮から八幡の神を迎えて創建したと伝えられる。林田藩主建部家が10代250年にわたり産土神・祈願所として崇敬した。こちらにも3代の藩主が奉納した石灯籠がある。

問合先　**ＮＰＯ法人 新風林田**
☎ 079-261-2338（旧三木家住宅内　金曜日～月曜日）

エリア探訪

香寺町

のんびりとした田園風景の中で心も体も癒される町

日本の原風景を思わせる、豊かでのんびりとした田園風景が広がる香寺町。どこか感じるその懐かしさを具体的に体現しているのが内外に評価の高い日本玩具博物館で、香寺民俗資料館や相坂トンネルもレトロな雰囲気たっぷり。

ほかにも関西のハーブ園の草分け的存在である香寺ハーブ・ガーデンや、日帰り温泉として知られる姫路市休養センター香寺荘などもあって、心も体も癒される町。車以外にもJR播但線を利用した「鉄道の旅」が楽しめる。

日本玩具博物館

1974（昭和49）年に現館長の井上重義氏が子どもや女性の文化に光を当て、後世に玩具に関する資料を伝えたいと設立した博物館。白壁土蔵造りの6棟の建物に、世界150カ国9万点以上の資料を収蔵している。

八徳山八葉寺

736（天平8）年に行基が開いたと伝えられる古刹で、平安中期に『日本往生極楽記』を著した慶滋保胤が出家して寂心と名乗り、堂舎を建てたことで知られる天台宗の寺院。寂心は書寫山圓教寺を開いた性空上人と親交が厚く、寂心が沐浴をする湯釜が欲しいと思っていたところ、ある日、それと察した上人から湯釜が届けられたという逸話が残っている。湯釜は現在も本堂奥にある奥の院に安置されている。播磨で一番早く始まる鬼会式（鬼追い行事）でも有名。

島内治彦撮影

香寺民俗資料館

建物は「ひょうご住宅百選」にも選ばれた江戸末期の豪商・旧尾田邸を移築したもので、民具や農具など10万点近い収蔵品があり、入口から座敷、中庭、裏の納屋までぎっしりと民具が並ぶ。館長の故島津弥太郎氏が近畿一円から収集したもの。現在は土・日曜日のみの開館。

香寺ハーブ・ガーデン

農薬や除草剤を使わずに自然に近い状態でハーブを育てている施設。ハーブ園としては関西では草分け的存在で、ガーデン自体は一年中無料で公開している。ガーデン内のショップでは、人間の体に必要なミネラルを多く含んだ野菜とハーブを使ったパンやハーブティーをはじめ、ハーブの効能が生きるオリジナル石鹸やシャンプーなどを販売している。

問合先　**姫路市観光交流推進室**
☎ 079-287-3652

姫路市休養センター
香寺荘

神経痛、冷え性、慢性消化器病に効能があるというアルカリ性炭酸泉が、日帰りでも楽しめる公共の宿。レストラン、ウッドデッキ等で食事も楽しめる。

相坂トンネル

1921（大正10）年に完成したレンガ造りのトンネル。人と馬車が行き交った狭いトンネルだが、レトロな雰囲気は魅力たっぷり。

秋祭り

氏神に奉納する酒樽を赤ふんどし姿の若衆が、おもしろおかしくかつぐ「岩部の樽かき」（岩部の大歳神社）や、犬飼獅子舞保存会によって13種類の舞が披露される「犬飼の獅子舞」（神明神社）などが有名。

エリア探訪

夢前町

豊かな自然と温泉が楽しめる山間のリゾート地

古くから名峰・雪彦山と、その山中に源を発する夢前川で知られてきた夢前町。

上流域には数千本の桜が咲き誇る新庄の桜並木や鮎狩り場、オートキャンプ場などアクティブな遊び場が点在。中流域には江戸時代から賑わう塩田温泉郷が湯けむりを上げており、下流域には食品加工のモデル工場として有名な産業観光施設や、中世に播磨の豪族であった赤松氏の本城・置塩城跡などがある。

姫路の市街地から車で約30分。ゆるりとした開放感が手軽に味わえる山間のリゾート地といえるだろう。

雪彦山

標高が915mあり、新潟県の弥彦山、福岡県の英彦山とともに日本の三彦山の一つとされている。洞ヶ岳、鉾立山、三辻山の三山を総称したものだが、一般的に洞ヶ岳を雪彦山と呼んでいる。いくつかの登山ルートがあるほか、垂直に切り立った岸壁はロッククライミングの場としても人気が高い。

塩田温泉郷

姫路の奥座敷と呼ばれる温泉地で、〝薬湯〟として知られてきた塩田温泉（湯元上山旅館）と、2006年に新たに源泉をボーリングした姫路ゆめさき川温泉（夢乃井）の二つの温泉スポットがあり、いずれも日帰り入浴が可能。

櫃蔵神社

城山の麓にある。現本殿は1928（昭和3）年に改築されたもの。境内には大木が散在して繁っており、中でも高さ30m、幹周り6.6mの大イチョウは夢前町一の大樹で、市の天然記念物に指定されている。

夢さき夢のさと農業公園・夢やかた

播磨富士とも称される明神山山麓の、貸し農園や果樹園、レストランなどからなる総合施設。ログコテージもあり、いも掘りやスイートコーンもぎ取り、栗拾いなどの農業体験が楽しめる。「夢やかた」では、そば打ち体験もできる。

兵庫県立ゆめさきの森公園

農地、集落、ため池、樹林が一体となった昔ながらの里山公園。通宝寺池を中心に遊歩道が整備され、四季を通じて野鳥や植物の自然観察が楽しめる。

佐野邸

姫路城主榊原忠次に仕えた家臣を祖に持つ元庄屋屋敷で、江戸時代中期に建てられた主屋は、苗字帯刀を許された庄屋の生活が偲べる貴重な文化財といえる。

置塩城跡

嘉吉の乱後の1469（文明元）年、赤松政則が再興した後期赤松氏の城。標高370mの城山（置塩山）山上に曲輪群が散在し、中世の山城としては超一級の遺構と評価が高い。

花名所

夢前川の両岸に数千本のサクラが植えられ、〝西の吉野〟と呼ばれる「新庄の桜並木」や、工場敷地および裏山に15万株の芝桜が植えられているヤマサ蒲鉾夢前工場・夢鮮館の「芝桜の小道」があり、開花期には大勢の見物客で賑わう。

芝桜の小道（安藤宏撮影）

問合先　**姫路市観光交流推進室**
☎ 079-287-3652

エリア探訪

家島町

ゆったりとした船旅を楽しみ新鮮な魚介類に舌鼓

播磨灘の沖合に浮かぶ大小40余りの島々からなる家島町。有人島は家島、坊勢島、男鹿《たんが》島、西島の4島で、観光の中心は菅原道真公ゆかりの家島神社がある家島と、悲話が伝わる弁天島がある坊勢島だが、釣りと海水浴が楽しめる男鹿島、キャンプやアウトドアが楽しめる西島にも捨てがたい魅力がある。

何よりの魅力は、やはり島ならではの新鮮な魚介類。とれたてが味わえる食事処も多く、穏やかな瀬戸内海をゆったりと渡る船旅とともに楽しめるだろう。

問合先
姫路市観光交流推進室
☎ 079-287-3652

家島神社

家島の宮港の東にある天神鼻に佇む古社で、神社の周囲は島唯一の原生林に囲まれている。平安時代に、菅原道真公が左遷により大宰府に向かう途中、島に立ち寄り、休憩した跡に小さな社を建て、その後、社殿を新築したと伝えられる。

どんがめっさん

真浦区民総合センターの隣に、水天宮として地元の信仰を集める亀の形をした岩。難波国へ行った主人の帰りを待っていた亀が、いつしか岩になったと伝えられる。100回頭をなでると願いごとが叶うという言い伝えも残る。

監館眺望

江戸時代の地誌『播磨鑑』の中で取り上げられた家島諸島の名所「家島十景」の一つで、1639（寛永16）年、海上警備のために姫路藩が設置した見張所からの素晴らしい眺めを表したもの。現在の清水公園の付近にあたり、今も美しい瀬戸内海の多島美が満喫できる。

姫路市家島B&G海洋センター

家島の美しい海をスポーツで体感できる施設。カヌー、ヨット、ウインドサーフィンなどのマリンスポーツが体験できる。

兵庫県立いえしま自然体験センター

クリアカヌーでの海中観察、カヤックやヨット、海水浴や磯遊びなど海を楽しめるメニューが豊富な西島の自然体感スポット。旧名は「母と子の島」。

弁天島

坊勢島の奈座港の目の前の、海に浮かぶ伝説の島（岩）。「神権《じんごん》さん」とも呼ばれ、祠に漁師の守護神が祀られている。その昔、娘可愛さの余り荒漁を行っていた漁師が龍神の怒りに触れ、嵐に見舞われて舟が沈没しそうになったとき、娘が龍神に許しを請うべく海に身を投じると嘘のように嵐は収まり、その後にこの島が出現したという。

祭り

7月24・25日に家島諸島の代表的な夏祭りである「家島天神祭」が催される。海上安全と五穀豊穣を祈願するもので、24日の宵宮祭では地元巫女による神楽舞が奉納され、25日の昼宮祭では檀尻船が海を渡り、のぼりを立てた船では笛や太鼓でのお囃子の演奏に合わせて獅子舞が演じられる。

また、8月の第1土曜日には坊勢スポーツセンター前で「ぼうぜペーロンフェスタ」が開かれる。

エリア探訪

安富町

あじさい、ホタル、ゆず…爽やかな自然との出会い

雪彦山系に源を発する林田川の清冽な水と、鹿ヶ壺に代表される渓谷美で知られる安富町。江戸時代には安志藩が置かれ、安志加茂神社や旧古井家住宅（千年家公園）など歴史・文化遺産も少なくないが、やはり一番の魅力は豊かな緑と澄みきった水と空気で、そうした素晴らしい自然環境が育んできた「あじさいとホタルとゆずの里」としても知られている。

また、近年は素朴な山里風景とマッチした昔懐かしい「ふるさとかかし」と出会えることでも有名で、訪れる観光客も増えている。

鹿ヶ壺

渓谷の岩底が長年にわたって侵食されてできた甌穴が大小十数個連なった景勝の地。一番上にある甌穴が鹿の寝姿に似ているところからこの名がある。近くに落差20mの「三ヶ谷の滝」もある。

やすとみグリーンステーション鹿ヶ壺

名勝鹿ヶ壺を中心に、周辺観光の拠点施設である鹿ヶ壺山荘や大小のコテージ、キャンプ場、オートキャンプ場、バーベキュー棟などが揃ったアウトドア施設。近年は山里風景が広がる周辺のそこかしこに、本物の人間と見まがうような「ふるさとかかし」が配置され、「奥播磨かかしの里」として親しまれている。

千年家公園

小さな公園だが、敷地内に室町時代末期に建てられたと推定されている旧古井家住宅が建っている。入母屋造り、茅葺き屋根の「日本昔ばなし」に出てくるような農家で、入口には馬屋がある。民家としては全国でも一、二を争う古い遺構といわれ、国重要文化財に指定されている。

塩野六角古墳公園

塩野岡ノ上山の中腹にあり、日本で初めて墳丘が六角形であることが確認された塩野六角古墳と、円墳の塩野古墳を中心とした公園で、静かな散策が楽しめる。

問合先 姫路市観光交流推進室
☎ 079-287-3652

あじさい公園・あじさいの里

安志加茂神社境内と隣接するあじさい公園には、旧安富町のシンボル花であるアジサイがたくさん植えられ、6月中旬から次々と咲き始める。6月下旬にはあじさい公園と隣接するあじさいの里で「あじさいまつり」が開催される。

安志加茂神社

京都・上賀茂神社の荘園であり、安志庄と呼ばれていた安富周辺の総社として建立された神社。

境内には安志稲荷、新池の中には弁天宮が祀られ、それぞれに色鮮やかな朱塗りの鳥居が立ち並んでいる。毎年正月には参道に飾られた大干支をくぐって家内安全、商売繁盛など願い事をする初詣客で賑わう。

安富ゆず工房

澄んだ空気と清らかな水で育ち、香り高く酸味の中にもまろやかさがあると評判の地元産のゆずを使って、安富ゆず組合婦人部の皆さんが無添加のゆず加工品を手作りしている工房。「ゆずしろっぷ」「ゆずだれ」「ゆず茶」「ゆずアイスクリーム」「ゆず大福」など多彩な製品で知られる。

姫路文学館

　北館には特別展示室をはじめ、播磨の文化風土を古代から幕末までたどる「播磨曼荼羅」や、姫路出身の哲学者和辻哲郎や作家の阿部知二、椎名麟三ら9人の文人を紹介する「文人展示室」、南館には『播磨灘物語』などを書いた姫路ゆかりの作家・司馬遼太郎の資料を集めた「司馬遼太郎記念室」がある。

　モダンな建物は建築家・安藤忠雄氏の設計で、敷地内には戦前に実業家の別邸として建てられた国登録有形文化財の「望景亭」もある。

山野井町 84
☎ 079-293-8228

姫路市立美術館

　旧陸軍の倉庫だったレンガ造りの建物を活用した美術館。常設、企画、コレクションギャラリーの三つの展示室を持ち、様々な企画展を開くほか、講演会、解説会、講座、子どもギャラリーツアーなど普及活動にも力を入れている。

　常設展示室では19～20世紀にかけてのフランス近代絵画、モネやピサロなど約30点を展示。所蔵作品は多彩で、デルヴォーやマグリットなど19世紀末から現在に至る近代ベルギー作家のコレクションで有名。

本町 68-25
☎ 079-222-2288

姫路市書写の里・美術工芸館

　西の比叡山と呼ばれる書写山の山裾にあり、姫路市出身の元東大寺管長・故清水公照師の泥仏、書画、絵日記といった作品や愛蔵品を多数展示するほか、姫路の伝統工芸品や全国の郷土玩具などを展示し、売店では伝統工芸品の販売も行っている。

　日・祝日を中心に、姫路はりこ、姫路こま、姫山人形の職人が製作実演を行っているほか、開館日には姫路はりこ、姫路こまの絵付け体験ができるようになっている。

書写 1223
☎ 079-267-0301

姫路科学館

2階から4階にかけて、実物の化石などを展示する「地球と郷土の自然」、空気や水、感覚の不思議などを体験できる「身のまわりの科学」、宇宙の姿や原理などを紹介する「私たちの宇宙」など、テーマごとに常設展示が行われている。

直径27mのドームスクリーンに280席を配置し、星空や宇宙の話題、全天映画などを楽しめる日本最大級のプラネタリウムも大人気。常設展示は2009年、プラネタリウムは2013年にリニューアル。

青山 1470-15
☎ 079-267-3001

姫路市平和資料館

戦争の悲劇と惨禍を後世に伝え、平和の尊さを学ぶために、姫路の空襲に視点を置いて開設された資料館。

常設展示室で、太平洋戦争末期に2度にわたって空襲を受けた姫路の街を模型で再現。擬似体験装置で空襲の恐ろしさを体験できるコーナーや、戦時下の暮らしを再現したコーナーなどがあり、当時使用された防空頭巾や鉄かぶとなどを展示。2階の多目的展示室では年4回特別企画展を開催している。

西延末 475
（手柄山山上）
☎ 079-291-2525

姫路市埋蔵文化財センター

埋蔵文化財に関する様々な情報を集め、「展示・教育」「収蔵」「整理・調査・研究」の三つの機能を備えた施設。

前年度の発掘調査速報展や、市内の代表的な遺跡を紹介する企画展を年4回開催するほか、一部ガラス張りの収蔵庫の前に出土品を展示し、常設展示の役割を果たしている。

また、勾玉づくりなど考古学に関する体験学習や、史跡見学会、講演会を行い、生涯学習の場としての役割も担っている。

四郷町坂元 414-1
☎ 079-252-3950

兵庫県立歴史博物館

２００７年に「学び・遊び・楽しむ交流博物館」としてリニューアルオープン。１階には十二単などの着付け体験もできる古民家風の「みんなの家」、兵庫の多彩な文化遺産と歴史を紹介する「ひょうごのあゆみ」などのコーナーが、２階には特別展などの会場となる「ギャラリー」や、「こどもはくぶつかん」「ひょうごの祭り」「姫路城と城下町」のコーナーがあり、兵庫の歴史や文化を楽しく学べるようになっている。

本町 68
☎ 079-288-9011

日本玩具博物館

白壁土蔵造りの６棟の建物に、日本の郷土玩具を中心に海外１５０カ国の玩具や人形など約９万点以上を収蔵する世界でも第一級の玩具博物館で、内外から大勢の見学客が訪れている。

コレクションは、凧・こま・手まり・雛人形・ちりめん細工・世界のクリスマス玩具など多彩を極め、昔懐かしい駄菓子屋のおもちゃやブリキ製のキャラクターなども揃い、実際に玩具に触って遊べるコーナーも設けられている。

香寺町中仁野 671-3
☎ 079-232-4388

圓山《えんざん》記念 日本工藝美術館

インドネシアにある世界最大の仏教遺跡・ボロブドゥルの研究者として知られる故井尻進氏（号・圓山）の遺徳を偲んで設立された美術館。

漆工、陶芸、染織、和紙、金工、組紐など日本の伝統工芸品の数々や人間国宝の手になる逸品、ボロブドゥル関係の写真や資料を展示。静かな庭と、内と外が曖昧につながる日本建築の「間」の美が生きた趣のある空間も魅力的で、伝統工芸の実技講座も用意されている。

西今宿 1-1-8
☎ 079-292-3433

姫路市立動物園

世界文化遺産姫路城を望み、緑豊かな中でゆったりとくつろげる動物園。ゾウ、キリンなどの大型動物をはじめ、約110頭・約390点の動物たちを見学することができ、モルモットやミニブタといった動物たちと触れあえる「ふれあい広場」や、乳牛やニワトリなど最近身近に見られなくなった動物を展示する「ミニ牧場」もある。

どこか懐かしい雰囲気のミニ遊園地も、お年寄りから子どもたちまでに人気だ。

本町 68
☎ 079-284-3636

姫路市立水族館

2011年にリニューアルオープン。コンセプトは「播磨の里地・里海のなかまたち」で、半世紀前には普通にいたが、今では少なくなってしまった地域の生きものたちを数多く展示している。

また、見て、聞いて、さわって、動かして…と、五感を使って遊んだり感じたりすることができる「体験型展示」も多数用意されている。

春から夏にかけてはカメの産卵や卵から孵化する様子も見学できる。

西延末 440
(手柄山中央公園内)
☎ 079-297-0321

姫路セントラルパーク

サファリパークと遊園地が併設されたアミューズメントパークで、約1千頭羽の動物を見ることができる。

サファリは車に乗ったまま動物が観察できるドライブスルーサファリ、歩きながら見て回れるウォーキングサファリがあり、遊園地には宙吊りコースター「ディアブロ」、地上35mから垂直落下する「フリーフォール」などが揃う。夏にはプール、冬には全天候型のスケートリンクも登場する。

豊富町神谷 1436-1
☎ 079-264-1611

名古山霊苑

世界文化遺産姫路城の西北約１㎞の名古山にある近代的な墓地公園。そのシンボルは高さ38ｍの仏舎利塔で、連立する６つの塔や諸堂とともに異国情緒を感じさせてくれる。

苑内は緑豊かで、４月上旬にはサクラが見頃となり、５月にはツツジが山全体を赤・白・ピンクに覆いつくし、11月には苑内のイチョウや様々な木々が色づき美しい紅葉が見られる。特に仏舎利塔周辺や、姫路城十景の一つである東宝塔跡からの眺望が素晴らしい。

名古山町 14-1
☎ 079-297-5030

姫路ばら園

姫路市の北部、市川のほとりにあり、約８００種３５００本のバラが植えられている。春（５月初旬～６月中旬）はバラの海の如く色と香りで埋めつくされ、秋（10月中旬～11月中旬）は貴婦人の如く気品のあるバラの花の美しさに魅了される。

喫茶室では、シャーベット、花びらのお菓子、お茶などバラづくしのメニューが味わえ、売店ではバラをモチーフにした様々なグッズやバラの鉢植え、切り花などが販売されている。

豊富町豊富 2222
☎ 079-264-4044

のじぎくの里

山陽電鉄大塩駅の一帯は、兵庫県の県花であるのじぎくの群生地として知られている。のじぎくは潮風の影響を受ける場所を好み、海岸から４～５㎞以内に多く自生。晩秋（10月下旬～11月下旬）の頃には、駅北東の日笠山や山麓ののじぎくの里公園、付近の馬坂山などで白や黄色の可憐な花を咲かせる。また公民館前にものじぎくの保存園がある。

この貴重な花を守り、育てるためのじぎく保存会を中心に、地域をあげての取り組みが行われている。

大塩町一帯
☎ 079-254-3178
（大塩公民館）

手柄山温室植物園

手柄山中央公園の南山にある植物園。熱帯・亜熱帯の珍品奇種の観葉植物・果樹類や洋ラン・ベゴニア・食虫植物などを展示する大温室と、サボテンを中心とする砂漠植物を展示する小温室があり、１２０科１５００種２万５千株を展示している。

ほかにも姫路市の市花サギソウを１年を通して栽培し、周年開花を行っているサギソウ栽培温室やロックガーデン、ハーブ園などもあり、洋ラン展やアジサイ展など季節に応じた様々な企画展も開催している。

手柄 93
☎ 079-296-4300

手柄山中央公園

市街地のほぼ中央にあり、緑深い樹木と四季を通じて花壇を彩る花々、木立をもれる陽光など、市民のオアシスになっている。

公園内には、手柄山のシンボルである太平洋戦全国戦災都市空爆死殁者慰霊塔を囲むようにして、多彩な文化・スポーツ・遊戯施設のほか、花と緑に関する相談や園芸技術研修などを行う緑の相談所があり、日本庭園・バラ園・サンクガーデンなどの見本園やカスケード（滝）も設けられている。

西延末 440
☎ 079-292-6887
（手柄山緑の相談所）

姫路城西御屋敷跡庭園　好古園

世界文化遺産姫路城を借景に、市制１００周年を記念して造営された日本庭園で、江戸時代当時の地割りを生かした9つの趣の異なる庭園群で構成されている。

春にはシダレザクラやソメイヨシノ、初夏にはオオガハス、秋には紅葉と、四季を通じて様々な花が楽しめる。4月初旬にはライトアップされたシダレザクラのもとで「夜桜会」が、11月中旬には同じく色鮮やかな紅葉をライトアップする「紅葉会」が開かれる。

本町 68
☎ 079-289-4120

播磨国総社（射楯兵主神社）

社伝によると、７８７（延暦６）年兵主神を小野江（姫路医療センター付近）に移し、のち射楯神を併祀。さらに１１８１（養和元）年新任の国司が国内の諸社巡拝を簡略化するため、播磨国内の１７４座を合祀したと伝えられる。

平安中期に斎行された「天神地祇祭」に由来する60年に一度の「一ッ山大祭」、20年に一度の「三ツ山大祭」のほか、1月14～16日の「えびす祭」、11月13～16日の「霜月大祭」などが有名。

総社本町 190
☎ 079-224-1111

廣峯神社

素戔嗚尊を祭神として、奈良時代に吉備真備が神託を受け勅命により新たに社殿を造営したと伝えられる。

本殿は入母屋造り・桧皮葺で、桁行が11間、同じく拝殿は桁行10間と、国内最大級の大きさを誇り、国重要文化財に指定されている。

祭礼では、御祭神が五穀豊穣を祈願する農耕の神とされるため、早乙女が古式に則って田植神事を行う「御田植祭」（4月3日）と、大きな稲穂を作って豊作を祈り走馬の神事を行う「祈穀祭」（4月18日）が有名。

広嶺山 52
☎ 079-288-4777

男山八幡宮・男山千姫天満宮

男山八幡宮は、１３４５（貞和元）年に石清水八幡宮から勧請したと伝えられ、１６７９（延宝7）年には松平直矩が、１７１６（正徳６）年には榊原政邦が社殿を改修するなど、歴代城主の信仰が篤かった。「男山の厄神さん」と親しまれ、２月18日・19日の「厄神祭」には大勢の市民が訪れる。

男山千姫天満宮は男山の中腹にある小さな社で、千姫が本多家の繁栄を願って建立。西の丸長局の廊下から朝夕遥拝したという。

山野井町 1-3
☎ 079-291-1550

長壁《おさかべ》神社

立町 33

御祭神は刑部親王とその娘富姫で、今から1千余年の昔に姫路城が立つ姫山の地主神として祀られた。

その後、池田輝政の姫路城築城に伴い、城内の守護神として尊崇されたのち、立町の長源寺境内に長壁神社の分霊が祀られ、夏まつりの舞台となった。これが戦後、「ゆかたまつり」（6月22～24日）に発展したとされる。風流大名・榊原政岑が越後への転封に際し、庶民にも浴衣姿で気軽に祭礼に参加してもよいとしたのを起源とする伝承も戦後生まれた。

十二所神社・お菊神社

忍町 558

社伝によると、９２８（延長６）年疫病の流行に里人が苦しんでいたところ、一夜にして12本の蓬が生え、そこに少彦名神が現れ、この蓬で疫病を治癒すべしとの神託を下すと、神託通り疫病は癒え、感謝した里人が少彦名神を南畝字大将軍の地に祀ったという。後に姫路城の裏鬼門（南西）にあたる現在地に遷され、境内には播州皿屋敷の主人公お菊を祀る「お菊神社」もある。

1月9・10日の「恵美酒祭り」、5月8日の「お菊祭」などが有名。

大塩天満宮

大塩町汐咲１丁目 50
☎ 079-254-0980

御祭神は菅原道真公。当初、天神山の山頂にあった社を、１５３３（天文２）年に当地の城主大塩次郎景範が大塩町宮本の旧社殿地に移して壮麗な神殿を営んだが、１９９８年に都市計画道路敷設のため現在地に移転した。

10月に行われる秋の例祭には、屋台の勇壮な練り合わせとともに、獅子舞の乱舞が繰り広げられることで有名。８頭の毛獅子によって演じられる野趣あふれる豪快な道中舞は見もので、多くの参拝者で賑わう。

魚吹《うすき》八幡神社

創建年代については諸説あるが、平安時代に岩清水八幡宮の別宮となり、魚吹八幡神社と呼ばれるようになったという。

10月21・22日に行われる「提灯祭り」で有名で、18台の屋台や檀尻、獅子檀尻などが繰り出し、宵宮での神輿の渡御の際に、氏子が持つ高張提灯が前後し、長さ3mほどの青竹の先にぶら下げた提灯を叩き合って落とすことで知られている。「チョーサ」の掛け声で高く差し上げる屋台練りも見もの。

網干区宮内 193
☎ 079-272-0664

松原八幡神社

社伝によれば、763（天平宝字7）年沖の海底に毎夜光り輝くものがあり、国司が妻鹿の漁民に網を入れさせたところ「宇佐八幡大菩薩」と書かれた紫檀の霊木が上がり、宇佐八幡宮から分霊を勧請したのが始まりという。

10月14・15日の秋の例祭が全国的に有名な「灘のけんか祭り」で、神功皇后が征討の帰途、舟についたカキを落とした故事にちなむという神輿の激しいぶつけあいと豪華な屋台練りで知られる。

白浜町甲 396

甲《かぶと》八幡神社

社伝によると、応神天皇の播磨巡幸のとき、甲山に登って里人の生活をご覧になり、河や溝を掘って道路を造り、農事を奨励された。その人徳に里人が感謝し、毎年秋に山上に初穂を供え、都の方を遥拝していたが、後に神殿を造営したという。

10月の秋祭りでは15台の屋台が急峻な参道を一気に登る力技が見もので、金竹地区の梯子獅子や、千姫の輿入れにちなんだ仁色地区の二年に一度の「長持ち道中」でも有名。

豊富町豊富 1375
☎ 079-264-4747

船津 正《しょう》八幡神社

創建が745(天平17)年とも876(貞観18)年とも伝えられる古社で、天正期(1573~1592)に船津郷と的部北条郷12ヶ村の総氏神に発展した。境内は緑豊かで多くの保存樹がある。

10月の秋の例祭には6台の屋台が練り出され、宮脇地区による龍王舞(じょまいじょ)と、中野地区による獅子舞が奉納される。龍王舞は神輿の渡御の先導もする鼻高(舞人)1人と笛約10人・太鼓1人の囃子で構成される。

船津町2989
☎ 079-232-4480

恵美酒宮天満神社

古くは「戎宮」と称し、漁猟の神、航海安全の神として里人に崇められていたが、菅原道真公がこの地に立ち寄ったことから道真公を慕い、後に天満宮を勧請したといわれる。

10月8・9日の秋祭りは「台場練り」で有名。通常の練りとは違い、肩に担いだ屋台を掛け声とともに差し上げ、その間に約24人の練り子が台場に入り込み、周りの練り子は手を離し、台場の練り子が肩で支えて練るというものである。

飾磨区恵美酒字五反田14
☎ 079-235-0098

浜の宮天満宮

創立年代は不詳だが、菅原道真公が立ち寄ったと伝えられる。境内には江戸期に生魚仲買中・魚売子中が寄進した常夜灯や、越前加賀の北前船の船主たちが社前に奉納した霊牛など貴重な石造品が多く、その長い歴史を伝えている。

10月8・9日の秋祭りは「台場差し」で知られる。2トンもある屋台を頭上高く放り上げ、落ちてくる屋台の台場を18人の練り子が手で支えるという妙技である。

飾磨区須加40
☎ 079-235-0629

姫路コラム①

西播磨の風物詩「祭り屋台」

大学の「地域学」講義で神社の祭礼に繰り出す山車を取り上げると、不思議な現象に戸惑う。大半の学生が他地域の祭りを全く知らないからだ。例えば、姫路市南部に住む学生は、秋祭りに出る屋台を、すべて「神輿屋根」と信じて疑わず、屋根に3枚、5枚と布団を積み重ねたタイプもある事実を講義で初めて知ったと告白する。

こうした誤解は若い学生に限らず、姫路市立生涯学習大学校での講義でも似たような経験をした記憶がある。結論を言えば、「神輿屋根型屋台は極めて特殊で、ほとんど西播磨に限定される風物詩」なのである。

縦に据えた大きな太鼓と4人の打ち手を乗せた輿を大勢で担いで練り歩く形式の山車を標準名「太鼓台」と呼ぶ。姫路以外にも瀬戸内沿岸地域を中心に広く西日本一帯に分布する。環瀬戸内海文化の一つと位置付けられ、近年、在野の愛好家らで分布と地域的発達の実証研究が進む。

その結果、今では「西日本の太鼓台が存在する地域の把握」がほぼ終わった。内訳は9割が布団屋根型で、残る1割の中で姫路の神輿屋根型をはじめ、篠山市内に少数ある切り妻屋根型や奈良県北部に偏在する入り母屋屋根型などが分け合う。

いまだ太鼓台の発祥地とその年代を特定できてはいないが、いきなり神輿屋根型が先陣を切って登場したのではなさそうで、18世紀半ばに登場した布団型から、19世紀初頭の化政期の太鼓台躍進期に神輿型へ転換したのではないかと考えられている。

一般に、当時の民衆が欲しかった物の象徴が「布団」であり、最も尊いのが「神輿」だったから、共に太鼓台の屋根に頂くに至ったと理解されている。ではなぜ、この地で布団から神輿型の屋根となったのかについては、はっきりしない。ただ、姫路には、古くから神輿の細工に必要な彫刻や漆、飾り金具の職人技が、伝統産業の仏壇製造の過程で磨かれてきた実績があるため、神輿屋根型が広がる背景としての技術的裏付けにはなるが、布団型を捨てて神輿屋根に転換させるだけの積極的な動機付けとはなりにくい。

太鼓台文化圏に燦然と輝く「姫路の祭り屋台」の解明が待たれる。

（山崎整＝兵庫県NIE推進協議会事務局長、ラジオ関西パーソナリティー、神戸学院大学客員教授）

第2章

世界遺産
姫路城

姫路城

播磨平野にひときわ優雅な姫路城が聳えている。

標高45・6mの姫山と隣接する鷺山の小高い丘に、高低差を生かした平山城として築かれた。

その優美な姿から今にも飛び立とうとする白鷺を思わせ、別名「白鷺城」とも呼ばれている。

1600（慶長5）年の関ヶ原の戦いの後、近世城郭建築の最盛期に築城技術の粋を集めて建てられた城郭建築の最高峰であり、外観の気品、意匠の巧みさなど芸術的にも城郭史上の頂点に立つ、まさに壮大な芸術作品といわれる。

全国各地にあった数多くの城が、明治維新後の廃城令による取り壊しや太平洋戦争などの戦災で失われていったが、姫路城は幾度かの試練を乗り越え、現存最大の天守や櫓、門、土塀など国宝8棟、重要文化財74棟にのぼる数多くの遺構が良好に保存され、1993（平成5）年には、日本で初めて世界遺産に登録された。

城の魅力が凝縮

姫路城は、中世の城砦的な城から、羽

参照 **姫路城➡8頁**

枡形虎口
曲輪の出入口を「虎口《こぐち》」という。「小口」から転じたとも虎の牙のように狭まった状態に由来するともいわれる。枡形は虎口部分に設けられた四角形の区画のこと。通例、外門に高麗門、内門に櫓門が建てられ防御が固められた。

柴秀吉・池田輝政・本多忠政の三代にわたり改築・改修され、近世城郭へと段階的に生まれ変わっていった。

とりわけ、1601（慶長6）年から1609（同14）年にわたる8年の歳月をかけて池田輝政が完成させた白亜の城は、輝政の築城理念が細部にまで施され、わが国に残る最大の城郭建築であると同時に、往時が生んだ最高傑作の「美の遺産」である。

巧妙な縄張、防備のための枡形虎口、多様な石垣、そして連立を構成する大・小天守、渡櫓をはじめ櫓、門、土塀、狭間、瓦、鯱に至るまで、姫路城には、城の魅力が全てに凝縮されている。

表1　姫路城の概要

別名：白鷺城（しらさぎじょう・はくろじょう）
所在地：姫路市本町
形式：平山城
築城年代：1346（貞和2）または1349（同5）年
〔赤松貞範築城説〕
1555（天文24）年～1561（永禄4）年の間
〔黒田重隆・職隆築城説〕
1580（天正8）年改修
1601（慶長6）年改修
1618（元和4）年改修
築城主：赤松貞範、黒田重隆・職隆の二説
羽柴秀吉（全面改装）、池田輝政（全面改装）、本多忠政（改修）
現存遺構：国宝8棟
（大天守、西・乾・東小天守、イ・ロ・ハ・ニの渡櫓）
重要文化財74棟
（櫓：27棟、門：15棟、土塀：32棟）
再建建築：桜門（姫路城大手門・木造模擬建築）
国・特別史跡指定：1956（昭和31）年（文化財保護法による）
世界遺産登録：1993（平成5）年

大手門

戦前、姫路城三の丸周辺の櫓などを復興しようという壮大な計画が立てられた。現在の大手門は、1938（昭和13）年に、その一環として建てられたもので、往時には桐二門があったところである。当時、軍用車両の通行を確保するため、軒高を高くしてある。

姫路城の歴史

姫路城の歴史は、はるか1333（元弘3）年にさかのぼる。播磨国の守護、赤松則村（円心）が護良《もりなが（よし）》親王の令旨を受け、鎌倉幕府討伐の兵をあげた。その際姫山に縄張を定め、1346（貞和2）年（または1349・同5年）、則村の次男赤松貞範が初めて城を築いたといわれている。その後、赤松氏、山名氏、小寺氏が入れ替わり居城とし、1545（天文14）年には、小寺氏の命で、重臣の黒田重隆が姫路城主になった。そして、黒田氏は職隆《もとたか》、孝高《よしたか》（官兵衛）と続いた。

三代にわたる築城

羽柴秀吉は、黒田官兵衛の勧めで姫路城に入り、1581（天正9）年3重の天守を築き、その後秀吉の弟、羽柴秀長、次に木下家定と入れ替わる。

関ヶ原の戦い（1600・慶長5年）の後、三河吉田から播磨の領主に封ぜられた徳川家康の女婿、池田輝政は1601（同6）年から8年の歳月をかけ、秀吉が築いた天守などを取り壊し、石垣などを生かして1609（同14）年に5重6階地下1階の大天守と三つの小天守を渡櫓で結ぶ連立式天守をいただく姫路城を築き、併せて、らせん状の3重の堀で囲む総構の城下町を完成させた。

そして、池田氏の後、入部した本多忠政は、嫡男忠刻《ただとき》の室に二代将軍徳川秀忠の長女千姫を迎え、西の丸に忠刻と千姫の居館を、さらに本城（居城）、向屋敷、武蔵野御殿、東・西屋敷の御殿群を建て、

黒田重隆・職隆築城説
姫路城の最初の築城は、16世紀中頃の黒田重隆・職隆父子以前にはさかのぼれないとする説が出されている。

参照 **黒田官兵衛⬇14頁、93頁**

現存の姫路城の全容が整えられた。
その後、姫路城主は、奥平松平氏、結城松平氏、榊原氏、本多氏の諸氏が入れ替わり城主を務め、１７４９（寛延２）年に酒井氏入部後は、酒井氏が代々世襲して明治に至った。

存城決定と明治以降の修理

明治になって、廃藩置県の後、１８７３（明治６）年に姫路城の存城は決定したが、翌年には、陸軍の歩兵第十連隊が姫路城に入り、御殿など三の丸の建物は

表２　姫路城の主な出来事

1333（元弘 3）年	赤松則村（円心）、姫山に縄張
1346（貞和 2）年	赤松貞範が姫山に城を築く（1349・貞和５年説も）
1545（天文14）年	黒田重隆が姫路城を預かる
1580（天正 8）年	羽柴秀吉、姫路城に入部
1581（天正 9）年	秀吉が３重の天守を築く
1600（慶長 5）年	池田輝政が三河吉田から入部
1601（慶長 6）年	輝政、姫路城築城を始める
1609（慶長14）年	５重６階地下１階の連立式天守完成
1617（元和 3）年	本多忠政、伊勢桑名から入部
1618（元和 4）年	西の丸造営、御殿群を築造
1639（寛永16）年	松平忠明、大和郡山から入部
1649（慶安 2）年	榊原忠次、陸奥白河から入部
1749（寛延 2）年	酒井忠恭、上野前橋から入部
1873（明治 6）年	姫路城の存城決定
1874（明治 7）年	歩兵第十連隊が移駐
1910（明治43）年	明治の大修理始まる
1912（大正元）年	姫路城、一般公開を開始
1931（昭和 6）年	天守、櫓など旧国宝に指定
1934（昭和 9）年	西の丸から昭和の大修理始まる
1945（昭和20）年	姫路大空襲
1951（昭和26）年	天守８棟、新国宝に指定
1956（昭和31）年	大天守など解体修理始まる
1993（平成 5）年	日本初の世界遺産登録
2009（平成21）年	大天守保存修理工事に着手

参照 歴代姫路藩主➡55頁表3、98頁表1

存城・廃城令
1873（明治6）年1月14日の太政官布達により、全国の城郭・陣屋について、陸軍省の管轄下で残す城（存城）と大蔵省の管轄下に置き廃止する城（廃城）を決定した。姫路城は、全国56城とともに存城に決まった。

取り壊され、残った天守などの建物も荒れる一方であった。しかし、陸軍の飛鳥井雅古少佐らの要請により保存されることとなり、さらに市民の要望が実を結び1910～11（明治43～44）年には、保存のための大修理が行われた。そして、修理終了後の1912（大正元）年には、姫路城の一般公開が開始された。

その後、太平洋戦争の戦禍にも奇跡的に残り、戦前から約30年間の歳月をかけ、姫路城の建物全体の解体修理が行われた「昭和の大修理」も1964（昭和39）年に終了した。

営々と続けられた遺産保全の努力が実を結び、1993年、姫路城は日本初の世界遺産に登録された。

そして、2009年から2015年まで、大天守保存修理工事が進められた。

歴代姫路藩主と領知高

西国将軍と謳われた池田輝政

関ヶ原の戦いの戦功により、池田輝政は、三河吉田15万2千石から播磨52万石と大幅に加増され、1600（慶長5）年に播磨姫路に入部した。同時に弟長吉も因幡6万石に封じられた。1603（同8）年には、次男池田忠継《ただつぐ》に備前国28万石が与えられ、さらに、1610（同15）年には、三男池田忠雄《ただかつ》に淡路国6万石が与えられ大名に取り立てられた。

池田輝政は、自領播磨の2割打ち出し分も加え、池田氏一族で播磨・備前・淡路・因幡の4カ国、約100万石を擁する大大名となり「西国将軍」と謳われた。

参照 姫路城が今日まで残ったわけ➡81頁

参照 池田輝政➡96頁

2割打ち出し
各領地の石高は豊臣秀吉の行った検地に基づき計算されていたが、池田輝政は再度検地を行わず、机上計算で村高を2割増しにして年貢を徴収した。

西国探題職の重責を担う

大坂夏の陣で豊臣氏が滅ぶと、徳川幕府は1615（元和元）年武家諸法度を発布する一方、幕藩体制の確立を目指し全国的な大名の所領再編に取り掛かった。

姫路には、1617（元和3）年に譜代大名の本多忠政が伊勢桑名から入部。西国探題職（西国の藩鎮）として、西国の大名を監視する役割を担った。

その際、池田時代に播磨一円に及んだ姫路藩の所領は52万石から15万石へと縮小され、明石藩、龍野藩、林田藩などが新たに立藩した。

姫路藩では、「西国の抑え」という重要性から、幼少の者が藩主を継ぐと、上野前橋、越後村上等へ転封を命じられ、頻繁に藩主が交代した。

表3　歴代姫路藩主と領知高

時代区分	藩　主	領知高
池田時代	輝政－	52万石
	利隆－光政	42万石
一次本多時代	忠政－政朝－政勝	15万石
松平（奥平）時代	忠明－	18万石
	忠弘	15万石
一次松平（結城）時代	直基－直矩	〃
一次榊原時代	忠次－政房－（政倫）	〃
二次松平（結城）時代	直矩	〃
二次本多時代	忠国－忠孝	〃
二次榊原時代	政邦－政祐－政岑－政永	〃
三次松平（結城）時代	明矩－朝矩	〃
酒井時代	忠恭－忠以－忠道－忠実－忠学－忠宝－忠顕－忠績－忠惇－忠邦	〃

池田輝政：1603（慶長8）年次男池田忠継に備前28万石
　　　　　1610（慶長15）年三男池田忠雄に淡路6万石
本多忠政：嫡男忠刻に10万石（千姫化粧料として）

徳川氏ゆかりの室等
池田輝政の継室は、徳川家康の二女督姫。本多忠政の正室は、家康の長男、信康の二女熊姫《ゆうひめ》。松平忠明の母は、家康の長女、亀姫である。

姫路城の築城―選地と縄張

城の築城は「選地《せんち》」「縄張《なわばり》」「普請《ふしん》」「作事《さくじ》」の四つの要素から成り立っている。

選地

選地とは、城をどこに築くかである。中世（鎌倉・室町時代）の城は防御が主体で、おのずと城の堅固さが求められ、山城が中心だったが、近世（安土桃山・江戸時代）になると、次第に領国経営に重点が置かれるようになり、平山城、平城へと移っていった。

姫路城は、三方を山に囲まれ、市川と夢前川が流れる播磨平野のほぼ中央、交通の要衝の地が選ばれ、二つの小高い丘に平山城として築かれた。

縄張

縄張とは、築城における曲輪や建物の配置やその計画、城下町の地割など築城の総合的な計画・設計をいう。

らせん状の堀と総構

姫路城全体としては、姫山を中心に左廻りのらせん状に3重の堀を巡らし、内堀の中を内曲輪、中堀の中を中曲輪、外堀の中を外曲輪とした配置になっている。また、西国街道（山陽道）を外曲輪の中に取り込み、外堀が城と城下町全体を囲む総構《そうがまえ》の縄張となっている。

新・旧二つのタイプの縄張

姫路城内曲輪の縄張は、本丸、二の丸、三の丸、西の丸、その他に分けられる。

曲輪《くるわ》
城郭を構成する区画をいう。通例は、塁（石垣、土塁）や堀、塀などで区切られ、さらに門や櫓を置いて防御が固められた。

内曲輪の縄張の特徴は、姫山（本丸・二の丸）では、秀吉時代の曲輪を踏襲したことから、小さな曲輪がひな壇状に並び、通路が迷路のようになっている古いタイプに対し、鷺山（西の丸）は、一つの広い曲輪（三の丸も同様）で、姫山と鷺山では曲輪の造り方が異なる新旧二つのタイプの縄張を見ることができる。

姫路城全体の縄張（「姫路侍屋敷図」姫路市立城郭研究室蔵）

姫路城内曲輪の縄張（『世界文化遺産・国宝姫路城の基礎知識』より）

姫路城の築城—普請

普請とは、石垣や土塁など築城における土木工事、または、土木工事を伴う建築工事をいう。

石垣の構造と石積み

石垣は最下段に根石を据え、この上に積み石を築き上げていく。その背後には栗石《ぐりいし》（裏込《うらごめ》）をびっしり詰める。積み石の間に隙間が生じる場合は間詰石《まづめいし》（間石《あいいし》）が入れられた。隅部では角石に長い直方体の石を交互に積んでいく算木積《さんぎづ》みが考案され、通称「扉の勾配」という反《そ》りを持った石垣も現れてくる。姫路城は、羽柴・池田・本多時代の築城期に特徴的な石積みが見られる（表4）。

表４　姫路城の石垣

時　期	特　徴	石　材	場　所
羽柴時代	・野面積み ・勾配：ゆるい（二段石垣も） ・隅角部：シノギ角（鈍角） ・転用石多い	チャート多用 凝灰岩	・上山里石垣 ・菱の門東方石垣 ・北腰曲輪 ・にの門付近など
池田時代	・打込接ぎ ・勾配：やや急、高石垣 　　反り（扇の勾配） ・隅角部：ほぼ直角(算木積み) ・刻印が多い	凝灰岩 （一部に、花崗岩・砂岩）	・大天守、小天守 ・備前丸 ・東曲輪など
本多時代	・打込接ぎ（一部切込接ぎ） ・池田時代と技法的に類似 ・武蔵野御殿池護岸石垣などに切込接ぎ	凝灰岩 （石質一様、規格性高い）	・西の丸 ・三の丸

石垣の種類

野面《のづら》積みは、自然石や割石をそのまま加工しないで積んでいくもの。打込接《うちこみは》ぎは、積み石の接合部を加工して積み石同志の隙間を減らしたもの。切込接《きりこみは》ぎは、積み石を大きく加工して隙間をなくしたもの。

算木積み

算木は「そろばん」が伝来する以前にわが国で計算に使われていた棒で、隅石の形が算木に似た長方形の棒状であることからその名がある。この技術は1605（慶長10）年頃に確立されたといわれる。

石材の確保

扇の勾配、算木積みがほぼ完成した石垣

姫路城の石垣築造のための石材は、砥堀山、鬢櫛山、別所谷などの近郊から切り出されたといわれる。

また、羽柴時代から池田時代にかけて、古墳時代の石棺や石臼、石仏、石塔、石灯籠などが石垣に転用された。これを転用石といい、現在、92点が分かっている。

転用石・五輪塔

転用石・宝篋印塔

上山里石垣（羽柴時代・野面積み）

刻印

池田時代を中心に石垣に様々な文様や文字が刻まれているのが見受けられる。これを刻印といい、石材提供者、石切り場、工事担当者、石材運搬者、呪符などの印ではないかと考えられている。現在、

西の丸南面（本多時代・打込接ぎ）

修復時の石垣

本多氏の改修以降は、城の修復に幕府の許可が必要になり、石垣も新規の築造はほとんどなく補強・補修が随時に行われた。姫路城では、堀沿いを中心に江戸時代に行われた修理の箇所が随所に見受けられるほか、明治以後も石垣の補修は行われ、昭和の大修理では西の丸櫓群や東曲輪の石垣で大規模な修理が行われた。

武蔵野御殿池護岸（本多時代・切込接ぎ）

刻印・斧

刻印・奈良村

59種類、１２２点の刻印が判明している。

堀

堀は、敵から城を守るため、曲輪の周囲に地面を掘り下げてつくったもので、姫路城では、らせん状に内・中・外に3重の堀が巡らされた。

また、敵兵が城内に侵入した際に、敵を分散させるための堀がつくられた。これを捨堀といい、三国堀がこれにあたる。

堀の幅は、鉄砲の普及に伴い射程距離を考慮して次第に広くなったが、姫路城は、内堀が一番広く、中堀、外堀と中心部から離れるに従って狭くなっている。

土塁

土塁は、堀を掘削した際にでる土を盛り上げ固めたもので、堀と一体となって城を防御するためつくられた。

国道２号沿いの中堀土塁

姫路城では、内堀、中堀、外堀の内側に土塁がめぐらされた。

内堀沿いの土塁は、堀沿いの外側部分には石垣が築

鏡石《かがみいし》

悪気や敵を撃破する呪術的な意味を込めて、城門付近の要所の石垣に組み込まれた大きな石のこと

かれ、内側は土塁である。一方、中・外堀沿いの土塁は、城門の付近のみに石垣を積み、それ以外は土塁のままだった。
現在も、国道2号沿いや姫路城北側のシロトピア記念公園沿いに、中堀の土塁が往時の姿をとどめている。

姫山原生林

天守群の北東部から西の丸の南端まで、内堀の内側部分に、幅30m〜50m、長さ約700mにわたって、うっそうと繁る樹林帯が続いている。これが姫山原生林で、城の北部及び北西部を守る重要な役割を担った。

内堀

中堀

外堀

タラヨウの木

姫山原生林でよく見かける樹木にタラヨウが挙げられる。この木は、イチョウと同様に葉が厚く防火に役立つといわれた。

姫山原生林

姫路城の築城―作事

作事は、天守や櫓、門、御殿など築城における建築工事やその工事に付帯的な作業のことをいう。

究極の天守構造・連立式天守

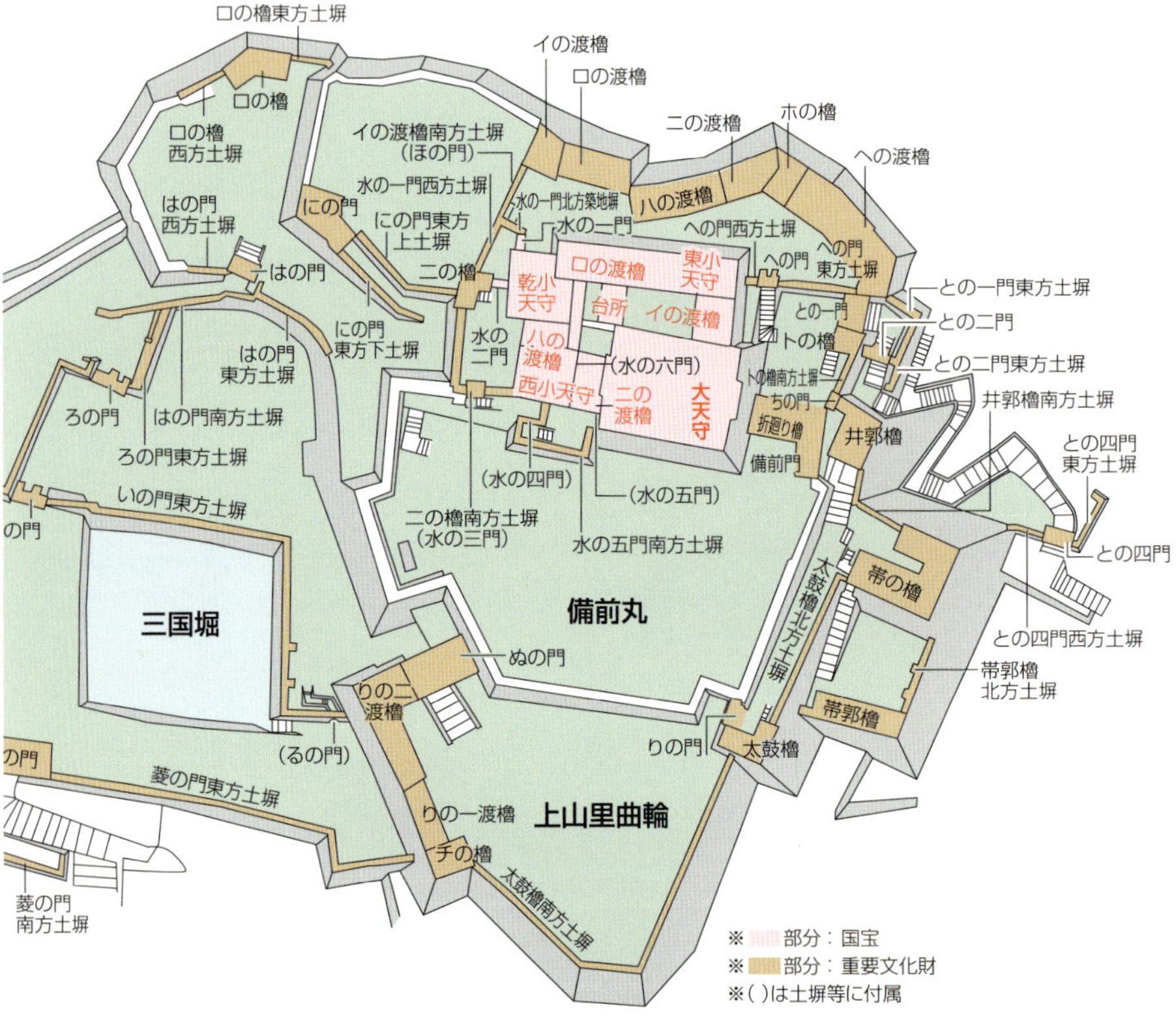

姫路城建造物配置図

姫路城天守の特徴

【連立式天守の優美な姿】

天守が築かれはじめた当初は、天守だけを単独で構える独立式や天守に付櫓や小天守を備え、これらを経由して天守に出入りする複合式が多く築かれた。

その後、防備強化が強く意識され、小天守と大天守を渡櫓で結んだ連結式、さらには、大天守と3基の小天守（隅櫓）を渡櫓で結んだ究極の天守構造といわれる連立式へと進化を遂げていった。

姫路城天守は、大天守と東・乾・西の小天守をイ・ロ・ハ・ニの渡櫓で中庭を囲むようにロの字型に結んだ連立式天守の代表例である。

【白漆喰総塗籠の白壁】

天守の外壁は、下見板張《したみいたばり》と塗籠《ぬりごめ》に分けられる。厚い土壁に板を張り、煤《すす》と柿渋を混ぜた墨（黒漆塗りの例も）の防腐剤を塗るのが下見板張である。これに対し、土壁の表面に漆喰を塗るのが塗籠で、姫路城のように、建物全体を漆喰で塗籠めたものを総塗籠という。

天守とは

櫓に望楼を載せた形式から発達したもので、領主の権威の象徴を表し、軍事要塞そして籠城の際には最後の抵抗の場として建てられたといわれる。

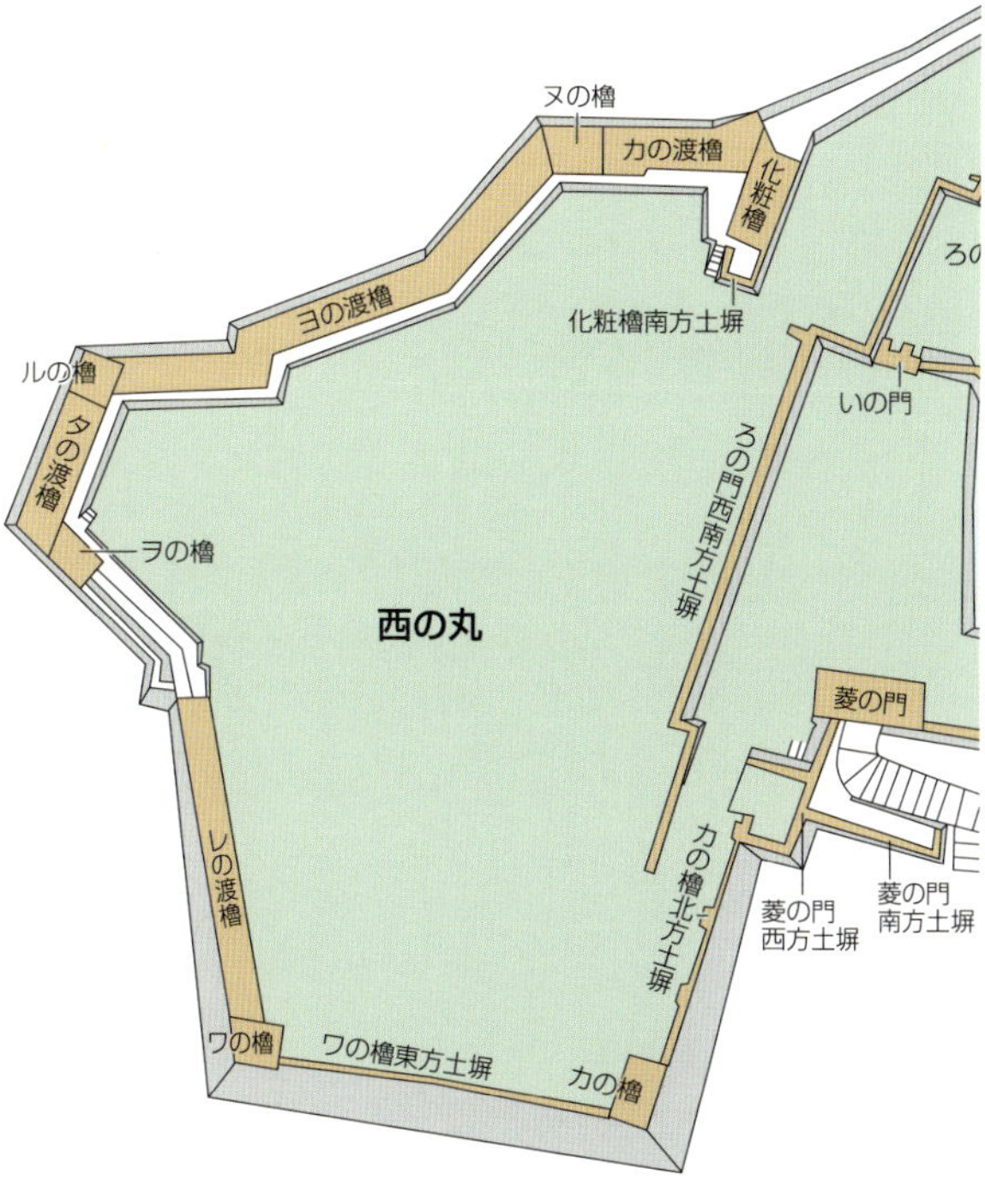

この塗籠は防火には優れているが、水に弱く下見板張に比べ耐久性に劣るが、見栄えから比較的年代の新しい城に多く使われた。

【理想的な逓減率】

天守はその構造から、望楼型《ぼうろうがた》と層塔型《そうとうがた》の2種類に大別される。

望楼型は入母屋造（基部）の上に、望楼（物見）を載せたもので、初期の天守に多く見られる。

大天守各層の理想的な逓減率

層塔型は、四方へ葺きおろす屋根を積み重ねた五重塔のような外容で、次第に層塔型が主流になっていった。

後期望楼型は、望楼型から層塔型に移行する過渡期にあたり、次第に基部と望楼部の形・デザインが統一されるようになる。姫路城はこれにあたり、バランスのとれた理想的な逓減率になっている。

【破風と懸魚の巧みな配合】

破風《はふ》は天守の飾りであり、この破風を飾るのが懸魚《げぎょ》である。いずれも寺社建築に多用され、次第に天守に応用された。

姫路城では、入母屋破風《いりもやはふ》、千鳥破風《ちどりはふ》、軒唐破風《のきからはふ》と様々な破風がバランスよく配置され姫路城の外観を美しく飾る。

また懸魚は、蕪懸魚《かぶらげぎょ》、三花蕪懸魚《みつばなかぶらげぎょ》、梅《うめ》鉢懸魚《ばちげぎょ》や唐破風を飾る兎毛通《うのけどおし》が破風の中

姫路城大天守の高さ
現存12天守の中でも最大の高さを誇る。天守台の高さは、14・8ｍ、大天守は31・5ｍで合わせて46・3ｍで標高は、91・9ｍである。

漆喰とは
石灰と麻の苆《すさ》を混ぜ、海草から作った糊で練ったもの。

望楼型天守と層塔型天守
初期の望楼型天守には、安土城、豊臣大坂城、岡山城などが挙げられる。現存天守では、丸岡城、犬山城など。後期望楼型には、熊本城、萩城のほか現存天守では、姫路城、松江城、彦根城など。層塔型天守は、江戸城、名古屋城、島原城などで、現存天守では、松本城、宇和島城など。

央先端に垂れ下がり破風を飾っている。

さらに、軒唐破風の軒下には珍しい蟇《かえる》股《また》が見られる。

姫路城大天守の構造

姫路城大天守の外観は5重だが、内部は7階（地上6階、地下1階）になっている。

大天守は、大通柱構法で積み上げられた。地階から6階までを四つのブロックに分け、各ブロック毎に箱を組み、積み木のように徐々に積み上げる方法で、地震等に対処するため、東西2本の大柱が地階から5階（6階床下）まで通された。

大天守内部は、外観の優美さとは裏腹に、武骨で頑丈なつくりになっている。

各階には、籠城や防備のための装置が施され、地階には台所への出入口や簀《す》の子の流し台、厠《かわや》が設けられた。1階〜2階には、槍や鉄砲の武具掛けが並び蔵仕様の部屋が数多く設けられるなど天守が持つ籠城や武器庫としての役割が窺え

破風と懸魚

蟇股

大天守地階、簀の子の流し台

大天守５階

大天守２階、武具掛け

書院造風の大天守６階

大天守４階、石打棚が四方に

大天守４階、破風の間

る。3階は根太天井が見え、階高がひときわ高く武骨な造りで一種の武者だまりといえる。4階は、周囲に石打棚や破風の内部に小部屋を設け、攻撃陣地の役割を担った「破風の間」などがある。5階は屋根裏部屋の趣で、天守最上階の6階は、舞良戸《まいらど》や長押《なげし》、棹縁《さおぶち》天井で仕上げられるなど書院造風の意匠が施されている。

東西大柱

長さは24・6mで築城時は東の大柱は樅《もみ》の1本材、西の大柱は3階床部分で「鶍継《いすかつぎ》」という技法で2本継ぎされ、上部は栂《とが》材、下部は樅材であった。昭和の大修理の際に、西大柱はすべて檜材に、東大柱は一部檜材に替えられた。修理の際の西大柱の継ぎ手は、「コシカケアリ継」という技法である。

三つの小天守

西小天守は、建築当初は「ひつじさる（未申）やぐら」と呼ばれ、外観3重、内部は地上3階、地下2階である。

乾小天守は、当初は「いぬい（乾）やぐら」と呼ばれ、外観3重、内部は地上4階、地下1階である。

東小天守

乾小天守

西小天守

台所とロの渡櫓

西小天守と乾小天守には、最上階に黒漆塗・金箔飾金具付の華頭窓が設けられている。

東小天守は、当初は「うしとら（丑寅）やぐら」と呼ばれ、外観は3重、地上3階、地下1階で比較的簡素な造りとなっている。また、三つの小天守いずれも最上階には大天守と同様の書院造風の意匠が施されている。

渡櫓と台所

イ・ロ・ハの渡櫓は、外観2重、内部

格子窓と華頭窓

姫路城天守の窓は、通例は太い格子（一部に鉄格子も）がはめられた幅半間の格子窓で、内側に土戸があり、いずれも漆喰で塗籠められている。乾小天守、西小天守には黒漆塗り、金箔金具で飾られた華頭窓がある。華頭窓は、つり鐘状の形をした尖頭形の窓で、禅宗寺院の仏殿などに用いられ高貴な建築物の象徴として使われた。

は地上2階、地下1階に対し、二の渡櫓は、2重の櫓門（水の五門）になっている。渡櫓の地下には、米や塩などが貯蔵され、台所と合わせて籠城に備えられた。

櫓

姫路城に現存する櫓は、27棟（重要文化財指定、国宝の東・乾・西小天守、四つの渡櫓は除く）である。

姫路城の櫓の名称は、イ・ロ・ハ…とカタカナのいろは歌を使い、用途や置かれた場所などから化粧櫓、井郭櫓、太鼓櫓、帯の櫓、帯郭櫓などの名称がつけられている。

【イ〜への渡櫓、ホの櫓（北腰曲輪櫓群）】

城の北面防御と塩蔵など物資の貯蔵庫として使用された。ロの渡櫓には櫓形式の井戸があり、ハ・ニの渡櫓が美しい曲線を描くなど変形の櫓が続く。

美しい曲線を描くハ・ニの渡櫓

【化粧櫓、カ・ヨ・タ・レの渡櫓、ヌ・ル・ヲ・ワ・カの櫓（西の丸櫓群）】

全長約121間（約240m）にのぼる長大な多門櫓とカの櫓で、北西の防御

西の丸櫓群

櫓とは

矢倉・矢蔵（矢を収納する倉庫）すなわち、武器庫という説と矢の坐（矢を射る場所）、陣地の二つの説がいわれる。おそらく平時は武器庫、有事は陣地の役割を果たしたのではないか。

多門櫓（多聞櫓）

城壁の上に長く続く櫓を多門櫓という。この櫓は全天候型で鉄砲の射撃が可能となり、土塀に比べ壁面が高くなるので、有事の際は鉄壁の防衛線になった。平時は、倉庫や長局（御殿女中たちの住居）などにあてられた。

を担う一方、カの渡櫓からヨの渡櫓北棟まで長局と見られる多くの部屋が続き、当時の華やいだ雰囲気が偲ばれる。

【チの櫓、リの一渡櫓、リの二渡櫓】

チの櫓、リの一・リの二渡櫓とも2重2階の櫓で、特にリの二渡櫓は、城外側1階は石垣を築き、穴蔵に類似する構造。

【帯の櫓、帯郭櫓】

帯の櫓は、櫓部分と増築部分に座敷を設えた数奇屋風建物が残る。

帯郭櫓は、城外側1階の下半分に石垣を築き、それを覆うように城内側には武者台が設えてある。これが検死台に見え腹切丸といわれるようになった。

【トの櫓、井郭櫓】

トの櫓は極端な菱形。井郭櫓は江戸時代は井戸櫓といわれ、井筒とつるべ、排水用の箱桶などを備えた井戸を有する櫓。

左からチの櫓、リの一渡櫓、リの二渡櫓

帯の櫓、数寄屋風部分

折廻り櫓

太鼓櫓

菱の門

いの門

りの門

【折廻り櫓、太鼓櫓】

太鼓櫓は、江戸時代はへの櫓といわれた。折廻り櫓の２階は住居風の意匠。

門

姫路城に現存する城門は、21を数える（水の五・六門を除き、重要文化財に指定）。

門の名称は、い・ろ・は…と、いろは歌で呼ばれるほか、菱の門、備前門、そして水の一門から六門が連なる。

【菱の門】

姫路城の大手を象徴する櫓門。番人詰所と馬見所があり、黒漆塗・飾金具付の格子窓、華頭窓などがあり、桃山時代の優雅で豪華な雰囲気を醸し出す。正面の鏡柱《かがみばしら》上の冠木《かぶき》に名前の由来となった「花菱」（木製）が飾られている。

高麗門

高麗門とは櫓門の親柱（鏡柱）の内側に控柱を立てて貫《ぬき》でつなぎ、それぞれに小さな切妻屋根を架けた門。屋根の架け方により、鏡柱上にのせた冠木の上に直接屋根を架ける慶長期に考案された旧式の高麗門に対し、元和・寛永期には、新式の高麗門が現れる。これは、鏡柱を屋根まで高くのばすもので、冠木を鏡柱の側面に差し込むもの。

りの門

この門の柱頭飾板には、黒漆塗り、金箔押しの豪華な装飾が施されていた。また、「慶長四ねん大工五人」の墨書が発見されたことから、木下家定時代に建てられたことが判明した。

【いの門、ろの門、りの門など】

慶長期（1596~1615）の古い様式をとどめた高麗門。さまざまな金物類等が門を豪華に飾っている。姫路城には旧式の高麗門が6門残されている。

【ぬの門】

門扉は頑丈な総鉄板張りで、珍しい二重の櫓門が堅固さと豪華さを演出している。

【にの門】

櫓、続櫓、隅櫓の下を、低く直角に折れ曲がった通路が通り、鉄板張りの門扉と合わせ、防御が厳重に固められている。このような門を暗がり門といい、姫路城に唯一残されている。

【との一門】

搦手口の最後の関門を固める櫓門。

姫路城に現存する櫓門の中でも、唯一、総素木造の城門で、門扉に半透《すかし》扉や突上

ぬの門

との一門

水の一門

にの門

との一門（右）と、との二門（左）

枡形門

第一の門を高麗門、第二の門を櫓門とし、それらを直角に配し枡形が造られた門で、との一門（櫓門）・との二門（高麗門）がこれにあたる。

げ式の窓が見られるなどいかにも古風な造りで現存最古の城郭建築物ではないかといわれる。置塩城からの移築説も。

【水の一門、水の二門、ちの門】

簡素な造りの門だが、棟門が残るのは珍しく、姫路城に3門ある。

【水の三門、水の四門、ほの門、るの門】

石垣上に土塀を設け、その下の石垣を一部切り欠いた門（水の三・四門、ほの門）と、石垣に穴を開けた穴門（るの門）の2種類の埋《うずみ》門がある。

ほの門

るの門

石落し

石落しは天守や櫓、土塀などに開けられた細長い蓋がついた穴のことで、城壁直下に攻め寄せた敵兵を銃で攻撃するもの。

姫路城の石落しは、大半は袴腰型だが大天守東面・南面、天守ロの渡櫓の大きな出格子窓直下には出窓型の石落しが、また、菱の門やぬの門などの櫓門直下にも石落しが

大天守の袴腰型石落し。下端が壁面の中央部分にくるのが特徴

棟門
2本の柱（鏡柱）に冠木を渡し、切妻屋根を架けた、最も簡単な形式の門。

石落しの分類
その形状から、下部が広がる袴腰型、戸袋状に突き出した戸袋型、出窓直下を利用した出窓型の3型に分類される。

アガキ
狭間には、外側を狭くして、内側を広くとり、敵に攻撃されにくく、内側から攻撃する際に視界を広くとる工夫がされた。これを「アガキ」という。

への門東方土塀。矢狭間 1 に対し、鉄砲狭間 2 の割合に配置

設けられ防御が固められた。

狭間

狭間《さま》は櫓や土塀などの壁面に開けられた穴で、弓を射る矢狭間と鉄砲を放つ鉄砲狭間に分けられる。

矢狭間は長方形で、鉄砲狭間は円形、三角形、方形がある。

姫路城には現在、約千カ所の狭間が残っている。

矢狭間

鉄砲狭間

土塀

姫路城には重要文化財に指定された32棟の土塀が残されている。

通例、土塀は控柱で支えられるが、姫路城の土塀には控柱がなく、外側は白漆喰で美しく塗籠められた。

また、古い版築工法で造られた油壁（油塀）という築地塀が残る。

白漆喰が美しい姫路城土塀

油壁。粘土と砂を混ぜ、もち米の煮汁を混入したとも、油かすを混入したともいわれる

版築工法

両側に板で作った型枠をあて、その間に壁土を少しずつ敷きこみながら、棒で突き固める作業を繰り返し、最後に型枠をはずして完成させたもの。

多様な瓦

　姫路城の瓦は他の城郭建築物と同様、平瓦と丸瓦を交互に組み合わせた本瓦葺きで、瓦と瓦の継ぎ目には屋根目地漆喰が一面に施された。

　瓦は凍結などで割れるなど耐用年数が短く、江戸時代にも修理が繰り返されてきたが、修理の歴史を物語るがごとく、鬼瓦・軒丸瓦などに歴代城主の家紋・桐紋が多く残されている。

　また、姫路城の鬼瓦には鬼面は採用されず、家紋・桐紋のほか、防火や鬼門除けなどの願いが込められたのか、「桃の実」や「波頭」「十字」「若葉」などさまざまな模様が施された鬼瓦が見られる。

　一方、天守や櫓など主要な建物の軒平瓦には滴水瓦（高麗瓦）が使われている。これは池田輝政が築城にあたり朝鮮半島伝来の瓦を取り入れたもので、現在は姫路城と熊本城に残されている。

鯱

鯱《しゃち》は、頭が虎のような獣で、胴体が魚

桃の実（への渡櫓）

波頭（にの門）

十字（にの門）

滴水瓦（高麗瓦）

城郭建築物の屋根
戦国時代以前の城の建物は、板葺きや草葺きなど簡素な屋根葺きが通例だったが、安土城で本格的な瓦葺きの屋根が出現して以降、城の建物の屋根は瓦葺きが主流となった。

屋根目地漆喰
姫路城に築城当時から施されていたか定かではないが、現存城郭では、姫路城、熊本城のほか、松山城（周囲のみ）に見られる。

現存最古の鯱 1687（貞享 4）年作

の形をした想像上の動物で、火除けの霊験があるといわれ、通例は、城を火災から守る〝まじない〟として阿吽《あうん》の一対で大棟などに載せられた。

姫路城では大天守のほか、小天守や主要な櫓、門などに多くの鯱が飾られているのが特徴である。このうち、大天守の鯱は、昭和の大修理のときに、西入母屋破風に据えられていた現存最古の１６８７（貞享４）年に造られた鯱を模して11尾とも造りかえられた。

さらに、大天守大棟の鯱は、平成の大修理の際に、昭和の大修理のときの大鯱を模して制作され、新しく据えられた。

御殿

城主は、普段は御殿に住み、日常生活を送るとともに、家臣との対面儀式を行ったり藩政の執務をとった。

近世の御殿は表（表向）と奥（奥向）に分けられた。

表は、城主の公邸で表御殿（玄関・広間・書院）、役所、台所からなっていた。奥は城主の私邸で、寝起きや執務をする奥御殿と御殿女中が住む長局があった。

姫路城では、池田時代には大天守直下の備前丸に御殿があった。

本多忠政が入部すると、まず、三の丸西側高台に本城（居城）、西の丸を造営して嫡男本多忠刻の居館が建てられ、三の丸東に向屋敷と武蔵野御殿、さらに内堀をはさんで東・西屋敷が建てられた。

姫路城大天守の大鯱
江戸時代や明治・昭和・平成の大修理などで、たびたび造りかえられ、現在の平成の大鯱で、6代目とも7代目ともいわれる。

武蔵野御殿
居館内の壁には豪華な金箔が施されススキの絵が描かれていたといわれる。それが武蔵野の風景に似ていたことからそのようにいわれたのか。

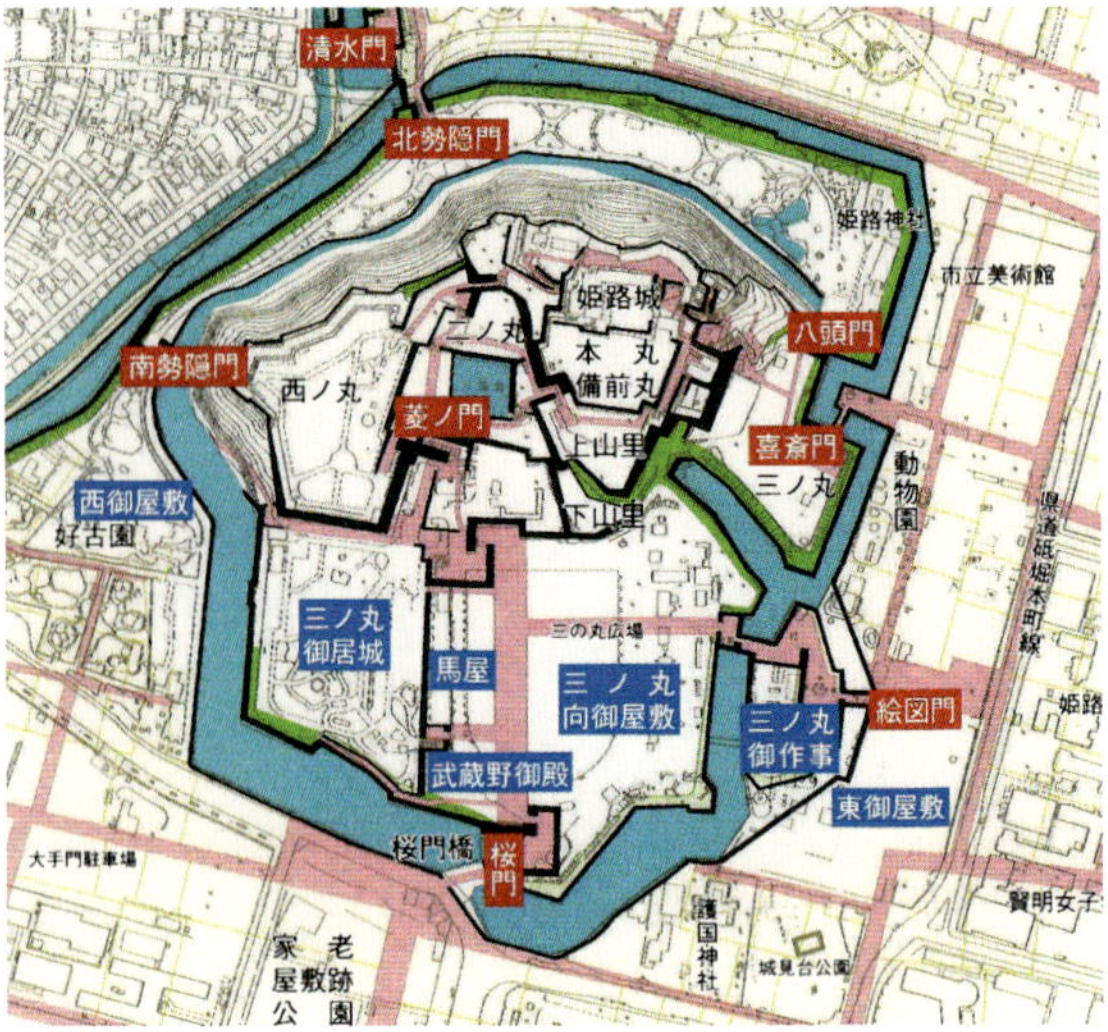

御殿配置図

このうち、西の丸居館と武蔵野御殿は第一次本多時代限りで、その後の藩主は、もっぱら本城（居城）を使った。酒井時代には、藩主は東屋敷で寝起きし、本城（居城）に通い執務を行った。

城下町と街道

城下町と町割

1600（慶長5）年、池田輝政が姫路に入部した当時、羽柴秀吉時代の城下町は、主に城の北東部及び東部に広がっていたといわれる。

池田輝政は、秀吉の築いた城下を包み込みつつ、南方の田園風景の中に新たな城下町をつくりあげた。

【総構の城下町】

この城下町は、城を中心に、内・中・外曲輪が区画され、城下町全体が外堀で囲まれる総構を備えたものであった。

内曲輪は、城主の居館や藩の中枢機能が集められ、中曲輪には、身分ごとに区

侍屋敷

上級武士ほど城に近いところに住み、家老などの最上級武士は、城の大手（南側）に長屋門を持つ大きな屋敷を構えた。城の東側には次の位の武士、城の北側は、主に中・下級の武士と身分により住居が区分された。

姫路の町名

野里鋳物師集団の芥田五郎右衛門や在地土豪の国府寺次郎左衛門の名を冠した五郎右衛門屋敷、国府寺町、職業や生業に由来する紺屋町、魚町、塩町、綿町、鷹匠町、坊主町、材木町、また、出身地の名前がつけられた竹田町、生野町、龍野町などがあり今に残る町名も多い。

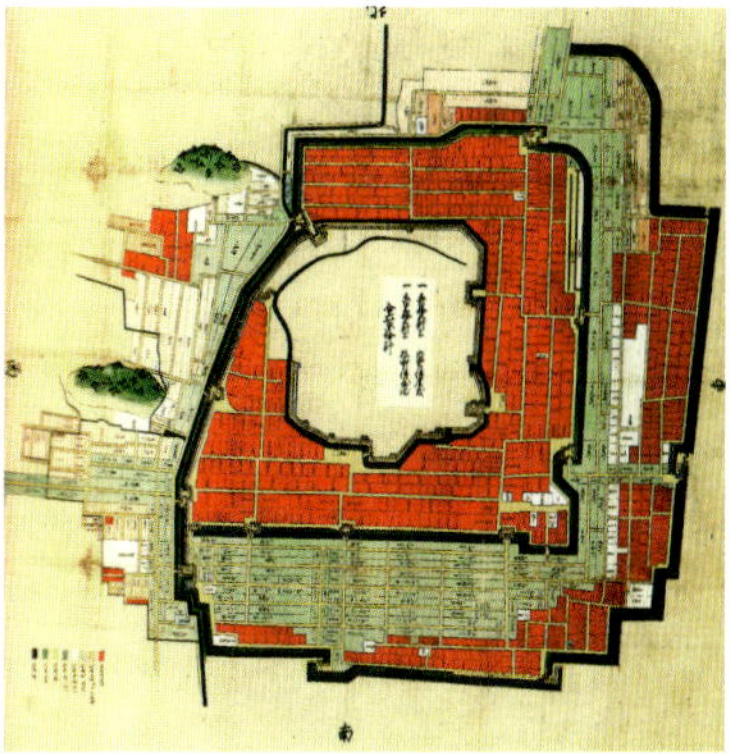

姫路御城廻侍屋鋪新絵図　17世紀中頃
（姫路市立城郭研究室蔵）
赤色が侍屋敷、白色が寺町、薄緑色が町屋

分された侍屋敷が立ち並んだ。外曲輪は、中心部に町屋が、東側には、寺院が集約されて寺町がつくられ、外縁部及び外曲輪の周縁には、下級武士や足軽、中間などの組屋敷が並んだ。

【山アテによる町割と78町】

城下町の町割には、「山アテ」が行われた。これは城と広峰山を見通して基準線を定め、これを竪町筋とし、この筋と平行及び直角に碁盤目状の町割が行われた。町屋は78町に区分され、人名、職業、出身地名などを冠した町がつくられた。

交通の要衝の地、姫路

古代から交通の要衝の地として栄えた姫路は、多くの街道が姫路城下を通り、人やものが頻繁に往来した。

とりわけ西国街道（山陽道）は、京都から下関に至り、畿内と中国・九州を結ぶ主要経路の役割を果たした。

また、西国街道から分岐し、佐用から美作に至る「美作道」、姫路城下から北方へ「但馬道」、北東方面へ「有馬道」、さらに、港のある室（室津）、飾磨津へ向かう「室津道」「飾磨津道」があった。

一方、海上交通も発達し、室津、飾磨津のほか高砂、家島も港として栄えた。

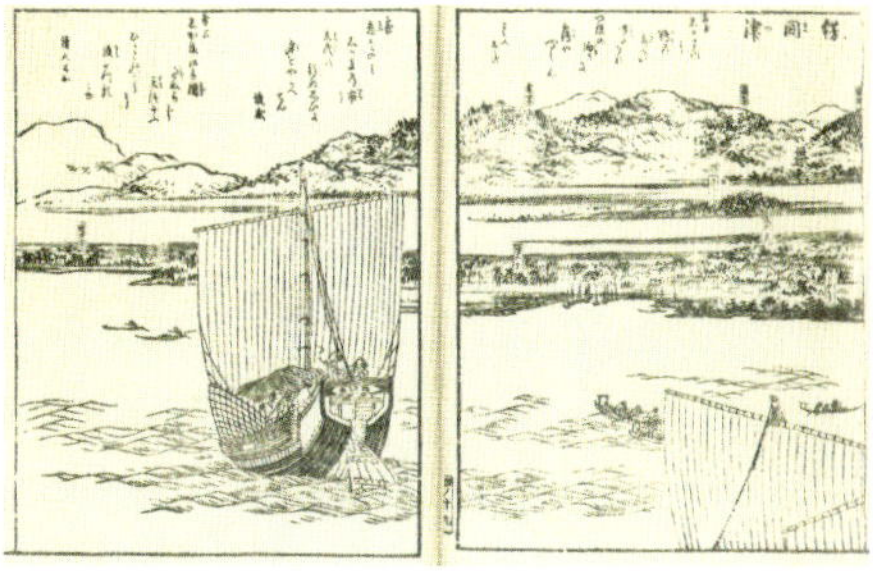

「播州名所巡覧図絵」に描かれた飾磨津

世界文化遺産姫路城

日本初の世界遺産に登録

世界遺産とは、歴史的な建造物や遺跡、貴重な自然環境などを人類の宝として登録し、守っていこうとするものである。

1992年、日本はユネスコの世界遺産条約に加盟。翌年、姫路城は日本で初めて世界遺産一覧表（文化遺産）に記載された。姫路城は、美的完成度が日本の木造建築の最高レベルで、世界的にも優れたものであること。17世紀初頭の城郭建築の最盛期に築かれた建造物が良好に保存され、防御面で工夫された日本独自の城郭の構成を最もよく示した城であることなどが評価された（評価基準Ⅰ・Ⅳ）。

遺産を守る

江戸時代の保存工事

姫路城の築城以後、歴代の姫路藩主は御作事場を置き、城の維持管理に努めた。

築城後50年が経過した姫路藩主榊原忠次の時、1656（明暦2）年には、大天守東西大柱の根元部分が腐食し大柱に大補強が行われた。その後も石垣、堀等の修復のほか、大天守各階の梁下などに筋交い補強が施されるな

1656（明暦2）年の大柱の根継部分を示す。写真は旧西大柱

文化遺産と自然遺産

文化遺産は人類の活動に関わる遺産で、記念物、建造物群、遺跡のいずれかである。自然遺産は、優れた自然景観や貴重な動植物の生息地などと定義されている。他には両方を満たす複合遺産や人と自然の共同作品といわれる文化的景観が新たに定義されている。

顕著な普遍的価値の評価基準

世界遺産一覧表にあがるための基準は10項目あり、文化遺産関連は6項目、自然遺産関連は4項目からなっている。そのうち評価基準Ⅰは、「人間の創造的価値を示す傑作である」、同Ⅳは「歴史上の重要な段階を物語る建築物、その集合体、科学物質の集合体あるいは景観を代表する顕著な見本である」と定められている。

ど大天守には軸部の補強修理が19回、屋根・軒廻り修理が17回を数えた。

明治の保存工事

1873(明治6)年、存城が決まったものの天守や櫓など建物の傷みは目を覆うばかりのありさまだった。

そのような中、1879(同12)年1月、陸軍省による保存修理が決定。その後、1908(同41)年には市民を中心に「白鷺城保存期成同盟会」が結成され、1910(同43)年から1911(同44)年にかけて陸軍省による本格的な保存修理工事が行われた。

明治の保存工事(「高橋秀吉コレクション」兵庫県立歴史博物館提供)

昭和の大修理

1934(昭和9)年6月、豪雨のた

昭和の大修理・大天守素屋根(姫路市立城郭研究室提供)

御作事場
三の丸の東方(現在の動物園付近)には「御作事場」が置かれ大工や左官などの職人たちが詰めて修理に当たった。

め西の丸タの渡櫓からヲの櫓にかけ、突然石垣と櫓が崩壊する事故が起きた。

これを契機に、国は姫路城全建物の破損調査を実施した。この調査で国は修理の必要性を痛感。文部省の直営方式で西の丸から順次、解体修理工事が進められた。その後、修理は北腰曲輪へと移ったが、太平洋戦争が急迫するなか1944（同19）年度に一時中断。戦後1950（同25）年度から第一次6カ年計画で菱の門を皮切りに二の丸の建物等が、さらに1956（同31）年度から1964（同39）年度にかけて大・小天守、渡櫓など本丸を中心に解体修理が行われ、1934（同9）年度から約30年間に及ぶ「昭和の大修理」が完成を見た。

平成の大修理

2009年度からは、大天守は素屋根で覆われ、6年計画で保存修理工事が進められている。この修理では修理の様子が常時見学できる修理見学施設「天空の白鷺」が設けられ、大天守を新しい視角から眺められると話題を呼んだ。

平成の保存修理

平成の大修理
大天守保存修理工事をいう。主たる修理は、屋根修理（瓦葺替、瓦留め、屋根目地漆喰塗替など）、壁面修理（下地修理、漆喰塗替など）、構造補強（耐震性向上のため）である。

姫路コラム②

姫路城が今日まで残ったわけ

現在の世界文化遺産・国宝の姫路城は、1601（慶長6）年から8年の歳月をかけて築かれた。以来400年余、微動だにせず立っているようだが、実は何度も危機に見舞われている。

最初の危機は、江戸の中期。築城後130年ほどたった頃で、各階支柱の腐食が進み、天守が傾き始めた。城主の松平明矩は、支柱の間に斜めの柱を入れる「筋交い工法」で補強に成功。当時は画期的な工法で、幕末までの100年余、大天守の体裁を保つことができた。明矩は、姫路藩唯一の一揆を招き悪評高いが、お城の修復に関しては功労者なのだ。

明治に入り、お城は無用の長物となった。「存城」「廃城」という〝仕分け〟が行われ、多くが破壊されたが姫路城はかろうじて残った。しかし、当時の写真を見ると、大天守の屋根には雑草が生え、瓦は壊れ、壁は崩れかかっている。

この危機に、陸軍で西日本の城郭管理の任にあった飛鳥井雅古少佐が、国に修理を要請した。恐らく姫路城を現地で管理する出先の担当者が起案したのだろう。1877（明治10）年11月のことで、これが崩壊を防ぐ貴重な第一歩となった。翌年12月、同じ陸軍の中村重遠大佐も重ねて修理請願を出しており、これらを機に、明治の応急修理が行われた。危機を救ったのは、まず飛鳥井雅古だろう。後に中村重遠の大きな顕彰碑が城内に建てられるが、飛鳥井と名もなき担当者の功績こそ忘れてはならない。

1931（昭和6）年、姫路城は城郭として初の国宝に指定され、本格的な修理が始まった。この間、太平洋戦争を挟み、1964（同39）年、天守閣の解体という大規模な「昭和の大修理」が完成するのだが、戦争末期、姫路は米軍の空襲を受けた。市街は焼け野原となったが、焦土の中で天守閣だけが無傷で聳え、被災市民に生きる力を与えたという。なぜ、天守閣が被災を免れたのか。堀の存在が米軍機のレーダーを勘違いさせ、天守エリアへの爆弾投下をしなかったともいわれるが、多分に偶然性も重なり、幸運をもたらしたのだろう。その後、2009年から6年計画で「平成の天守閣修理」が行われ、真っ白な天守群が、また蘇った。

姫路城は、危機のたびに復活する。城を愛する人々に守られながら、不死鳥のように、永遠に羽ばたくのである。

（中元孝迪＝播磨学研究所所長）

姫路コラム③

姫路城と伝説

◆**播州皿屋敷**

永正年間（1504〜21）のはじめ、姫路城主小寺則職《のりもと》の執権青山鉄山が、町坪弾四郎と計り主家の乗っ取りをもくろんでいた。これに気づいた忠臣の衣笠元信は、その陰謀を探るため、愛妾のお菊を鉄山の屋敷にもぐりこませる。お菊は鉄山の謀殺計画を知らせ、則職は危うく難を免れるが城は鉄山一味に占拠されてしまう。

さらにお菊は内情を探るが、町坪弾四郎に感づかれてしまう。お菊を恋慕していた弾四郎は、お菊に言い寄るが、なびかぬお菊に腹を立て小寺家家宝の皿10枚のうちの1枚を隠し、皿が足りないと、お菊を責め立て、挙句に切り殺し井戸に投げ込んでしまう。その井戸から毎夜「一枚、二枚…」とすすり泣きながら皿を数えるお菊の声が聞こえたという。やがて、鉄山一味は元信らに滅ぼされ姫路城は則職のもとに戻ったという。

◆**大工棟梁桜井源兵衛**

姫路城の築城を手掛けた棟梁の桜井源兵衛は、天守が東南に傾いているのではないかと気がかりだった。

ある日、長年苦労をかけた妻に姫路城の天守を案内する。そこで妻は、「天守が巽（東南）の方角に傾いて見える」とおずおずと言った。それを聞いた源兵衛は「やはり思いすごしではなかった。女の目にも傾きが分かるとは棟梁としての恥。自分の墨入れが間違っていた」と言い残し、間もなくノミをくわえて、天守のてっぺんから飛び降りたという。

◆**武蔵の妖怪退治**

木下家定が姫路城主の頃、宮本武蔵は滝本又三郎と名を変え天守を警護する足軽組に奉公していた。武蔵が二刀流の使い手と知った城主から天守に出没する妖怪退治を命じられる。武蔵ががん灯一つで天守に登り、3階にさしかかったとき、炎が上から吹き降り、地震のような音がして、城が激しく揺れだした。しかし、武蔵の気迫に恐れをなしたのか、あたりは静まりかえる。その後、武蔵が天守最上階に登り、妖怪が現れるのを待とうとうとうと…。すると、十二単の美しい姫が現れ、「姫路城の守神刑部明神じゃ。妖怪は、そなたに恐れをなして逃げ去った。褒美に宝剣を与える」と姿を消した。

武蔵の前には、白木の箱に入った郷義弘の名刀が残されたという。

（中川秀昭＝元姫路市立城郭研究室室長）

第3章

歴史

写真や資料の所蔵・提供先は以下の記号で示した。

＊1　姫路市埋蔵文化財センター
＊2　姫路市史編集室
＊3　『BanCul』姫路市文化国際交流財団
＊4　「高橋秀吉コレクション」兵庫県立歴史博物館
＊5　『歴史読本 姫路のあゆみ』姫路市教育委員会

原始・古代の姫路

旧石器時代の姫路

今から2万〜3万年前、氷期と呼ばれた時期の姫路市域は、四国や淡路と地続きで、家島諸島も広い原野の山丘であった。

家島町の大山神社遺跡をはじめ十数カ所から横長のナイフ形石器が多く発見されている。

おそらく人々は、哺乳動物を槍や落とし穴を使って捕え、このナイフでその肉を食べ、毛皮などを衣服にして身につけ、移動しながら生活していたと考えられる。

瓢塚古墳（＊1）

縄文時代から弥生時代の姫路

1万5千年前頃になると、温暖化によって姫路市域は瀬戸内海に面するようになる。漁をはじめ森などから豊かな材木や食料を得るようになり、煮たり貯蔵したりする土器、狩猟具としての弓矢も発明され、人々は竪穴住居に定住するようになった。平尻《へいじり》遺跡（香寺町）から縄文土器をはじめ石鏃や石匙などの新石器の道具が発見されている。また辻井遺跡からは屈葬された人骨も発掘されている。

3千年前頃になると、大陸から稲作が伝わり、弥生土器や青銅器、鉄器などが使われるようになった。この時代の遺跡は姫路市域でも170カ所以上にのぼり、大規模集落ができてきた。ムラ同士の戦争が増え、それと共に祭祀が行われるようになり、檀特山遺跡（勝原区）から銅剣の形をした磨製石剣、神種《このくさ》（夢前町）から銅鐸、名古山遺跡や今宿丁田《いまじゅくちょうだ》遺跡からは銅鐸の製作に用いた鋳型片が発見されている。

平尻遺跡出土石器（＊1）

壇場山古墳（＊1）

古墳時代の姫路

3世紀半ば～7世紀、姫路市域では多くの古墳が造られるようになった。

瓢塚《ひさごづか》古墳（勝原区）は長さ104mの前方後円墳で、竪穴式石室

姫路市埋蔵文化財センター
姫路市内に知られる約1200カ所の遺跡から蓄積される膨大な考古資料を整理・調査・研究・展示・公開する拠点。市民が参加できるイベントも随時開催している。
四郷町坂元414—1
☎079・252・3950

宮山古墳出土の耳飾り（左）と初期須恵器（右）（＊1）

御輿塚古墳の横穴式石室と家型石棺（＊5）

がある。大和盆地にある箸墓古墳とよく似た形をしていることから、西播磨が大和地域の勢力の一員であった可能性も指摘されている。壇場山《だんじょうざん》古墳（御国野町）は長さ143m、県下2位の規模を誇る前方後円墳で、ここの長持形石棺に葬られている人物は大和王権を支える西播磨の王のような存在だったのではないかと言われている。

宮山古墳（四郷町）は古墳時代後期に造られた直径30mほどの円墳で、朝鮮半島南部と同じ構造の竪穴式石室には鉄製の武器・武具・馬具・農耕具をはじめ朝鮮半島からもたらされたであろう須恵器などの豊富な副葬品が納められていた。他にも、百済から導入されたとみられる横穴式石室をもつ権現山《ごんげんやま》古墳（砥堀）や御輿塚《みこしづか》古墳（北平野）から、姫路市域には多くの渡来人が住んでいたことがわかっている。

仏教の伝来と初期寺院

6世紀中頃、百済から仏教が伝わると、

辻井廃寺の塔心礎

古墳に代わって寺院が建立されるようになった。姫路市域でも、市之郷廃寺《いちのごうはいじ》、下太田《しもおおだ》廃寺（勝原区）、辻井廃寺、見野《みの》廃寺（四郷町）、溝口《みぞぐち》廃寺（香寺町）が知られている。いずれも礎石が残されており、金堂や講堂など飛鳥時代の寺院と同じ特徴をもった寺院であったと想定されている。

国府と山陽道

奈良時代に入ると、日本の国家体制が整えられ、姫路市域は播磨国に含まれるようになった。現在「本町」と呼ばれるところに播磨国府があり、山陽道が東西に走っていた。佐突《さつち》（佐土）・草上《くさかみ》（今宿）・邑智《おおち》（太市）には駅家《うまや》がおかれ、宿舎や食堂も整備された。

国分寺塔想像復元模型（左 ＊1）と
国分寺跡から望む現・国分寺（＊3）

また、仏教の力で国家を護ろうと、天皇は国ごとに国分寺・国分尼寺の建立を命じ、今の御国野町に播磨国分寺・播磨国分尼寺がおかれた。国分寺は築地塀で囲まれた寺域に、南大門・中門・金堂・講堂が一直線に並び、中門と金堂を回廊が結んでいた。また、そばには7重

播磨の駅路と駅家（たつの市埋蔵文化財センター 2007 を改変）（＊5）

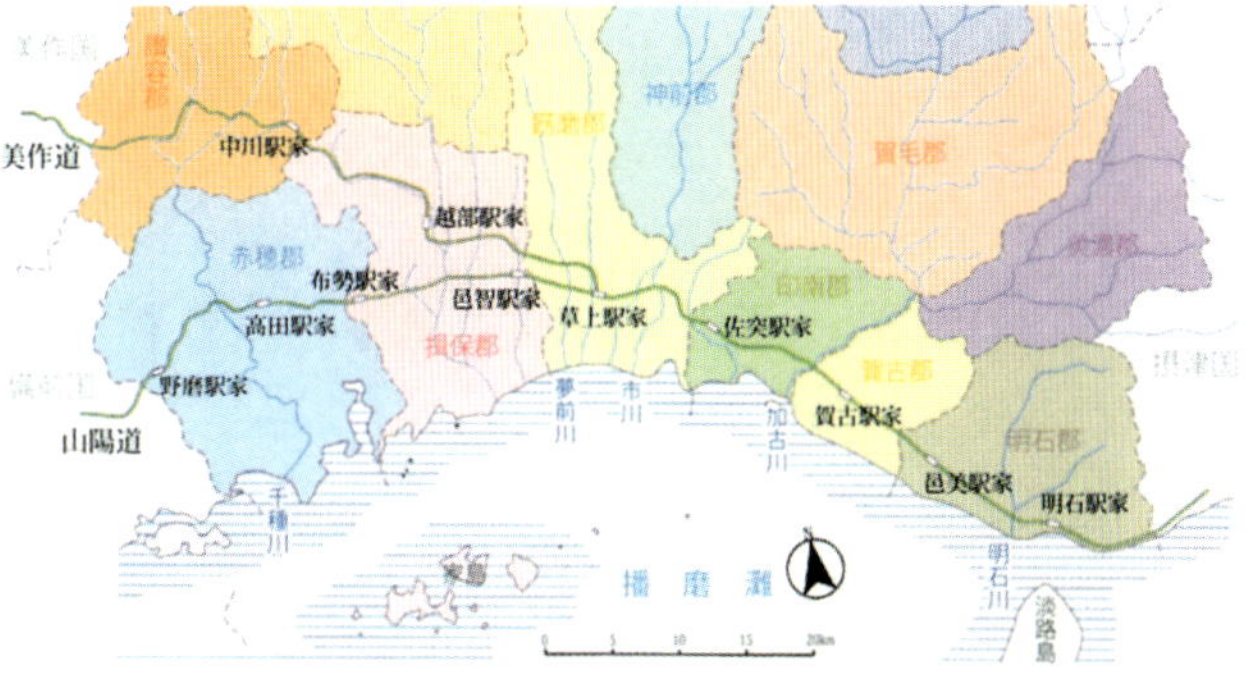

の塔が立っていたと言われている。

『播磨国風土記』の世界

「風土記《ふどき》」は、平城京にある中央政府が諸国に、郷土の産物、土地の良し悪し、山川原野等の名前の由来、古老の伝承などを記録して報告することを命じたもので、現在伝わっているのは部分的なものを含め五カ国しかない。『播磨国風土記』は『出雲国風土記』とともにほぼ完全な形で伝わっている。『播磨国風土記』はこれらの中でも最も早く完成したとみられ、国司の一人で百済からの渡来人である父をもつ楽浪河内《さざなみのかわち》が担当したと考えられている。

「飾磨郡伊和里」の条には14の丘とその名の由来について、大汝命《おおなむちのみこと》と火明《ほあかりの》命《みこと》が登場する神話の形で記されている。そのうち「日女道丘《ひめじおか》」（蚕子《ひめこ》が落ちた丘）は姫路城のある姫山と考えられており、姫路という地名の起源を知ることができる。

『播磨国風土記』には、姫路市域の地名の由来や渡来人に関する記事が豊富にあることから、5～8世紀頃の姫路市域とその周辺に渡来人やその子孫が多く住み、活躍していたことが分かる。

書寫山圓教寺

書写山は古くから祈りの山として人々の崇敬を集めて来た。ここへ966（康保3）年、九州の山で修行を終えた性空《しょうくう》上人《しょうにん》が入山した。書写山で草庵を営み、法華経を唱えながら日夜修行に励む性空上人の噂が都に伝わり、人々はこぞって上人に教えを乞おうと、山へ登ってくる

14の丘の比定地

『播磨国風土記』の伊和里の条に描かれた14の丘とは、火明命が父大汝命の船を壊し、その積み荷が落ちたところを、それぞれ積み荷の名をつけ、船丘、波丘、琴神丘、箱丘、匣丘、箕形丘、甕丘、稲牟礼丘、冑丘、沈石丘、藤丘、鹿丘、犬丘、日女道丘と呼んだ。異説もあるが、一般には、船丘は景福寺山、琴神丘は薬師山、匣丘は船越山、箕形山は秩父山（水尾山）、甕丘は神子岡山、冑丘は冑山にあたるとされている。

参照 書寫山圓教寺➡18頁

ようになった。その人々の寄進で、書写山には立派な寺院が立ち並ぶようになった。986（寛和2）年には講堂を寄進した花山《かざん》法皇から「書寫山圓教寺」という寺号が与えられ、書写山は都の皇族や貴族から「西の比叡山」と呼ばれる聖地となった。

法華経の教えを一途に追求する性空上人に結縁《けちえん》を望む人々は後を絶たなかったが、その中でも藤原道長の娘で一条天皇の中宮であった上東門院彰子《じょうとうもんいんしょうし》が書写山を訪れた話は有名で、その時お伴をしていたといわれる和泉式部《いずみしきぶ》が性空に送った和歌が今も残っている。

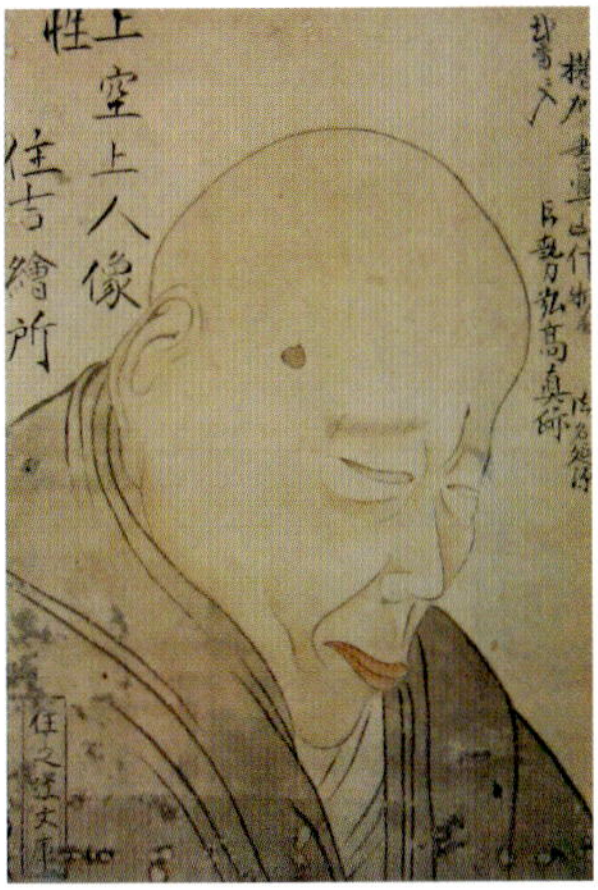
性空上人像（書寫山圓教寺提供）

性空上人が亡くなって以後も、書写山には後白河法皇が7日間留まったという記録や後醍醐《ごだいご》天皇が一時期ここを皇居としたという記録もあり、都や日本の政治状況と無縁ではなかった。

多くの荘園がひらかれた姫路市域

平安時代、土地が豊かであった姫路市域には都の貴族や寺社によって多くの荘園がひらかれた。今の網干・勝原・大津にまたがる福井荘、白浜・東山・八家・木場を含む松原荘がその代表である。いずれも京都の神護寺《じんごじ》や石清水《いわしみず》八幡宮の宿院である極楽寺といった大寺社が領し、土地の開発に大きな影響を及ぼした。

中世の姫路

赤松氏の興亡

鎌倉幕府の滅亡に際し、大きな役割を果たした人物に後醍醐天皇と足利尊氏がいる。この時、足利尊氏と共に六波羅探題の打倒に参加したのが、赤松則村《のりむら》（円心）である。赤松氏はもともと佐用荘の地頭職であったが、荘園領主や幕府の力が衰えてくると、自らの土地を守る武将集団の動きが活発となり、赤松氏は次第にそのリーダー的存在になっていった。赤松則村は、後醍醐天皇の子護良《もりなが（よし）》親王の呼びかけに応じて幕府を倒す側に立った。しかし、後醍醐天皇の時代になると、その政治に馴染むことができず、今度は足利尊氏派の武将として室町幕府の樹立に貢献することになった。

息子の則祐《そくゆう》とその子義則《よしのり》の時には、播磨・備前・美作・摂津の守護と将軍を支える侍所の長官を務めるまでに成長。しかし１４４１（嘉吉元）年、満祐《みつすけ》の時、

赤松円心像（宝林寺蔵・小川克美撮影＊３）

赤松則祐像（宝林寺蔵・小川克美撮影＊３）

将軍の政治への反感から、時の将軍足利義教《よしのり》の暗殺を実行した（嘉吉の乱）。満祐は書写の坂本城で山名持豊（宗全）を主力とする幕府軍と戦うが敗れ、赤松氏内部の分裂によって足並みがそろわず、満祐は城山城（たつの市）で自刃、赤松氏は滅んだ。

滅亡した後も家臣たちは赤松家再興に努力し、1457（長禄元）年に南朝の皇子から三種の神器の一つ神璽《しんじ》（勾玉）を赤松氏の家臣が取り返したことで、当時4歳の政則《まさのり》が赤松家を継ぐことが認められた。1467（応仁元）年に起こった応仁の乱では、政則は細川氏について参戦し、先祖の仇である山名氏を書写の坂本で打ち破った。これによって政則は播磨・備前・美作の守護に返り咲くこととなった。

この頃、本城として夢前町の置塩山に築いたのが置塩城《おきしお》（おしお城）で、山頂に立派な屋根瓦の櫓が立ち並び、麓には武家屋敷や町家が軒を連ねた。しかし、政則が亡くなると、家臣の浦上氏が政治の実権を握り、政則の養子に入った義村《よしむら》が室津（たつの市御津町）で暗殺されるなど赤松家の政治は、義村の子晴政《はるまさ》の時代になっても安定せず、家臣の別所氏、小寺氏などが勢力を伸ばし、赤松氏の播

置塩城復元想像図（木内内則作図）（＊5）

置塩城発掘調査

赤松氏の居城・置塩城は、山上に庭園のある居住空間を有していたされ、国の史跡に指定されている。

置塩城本丸跡（＊5）

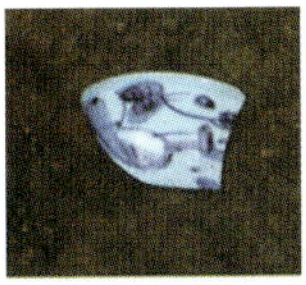
出土した陶磁器のかけら（＊5）

参照 置塩城⬇33頁

磨支配は崩れていった。

五代目則房《のりふさ》の時、播磨は「天下布武」を唱える織田氏と中国地方の覇者毛利氏との勢力がぶつかり合うところとなった。則房は織田軍の総司令官として播磨入りした羽柴秀吉の命に従って、置塩城を退き、赤松氏の置塩城の歴史は幕を閉じた。

英賀城と秀吉の播磨進出

嘉吉の乱が起きた頃、伊予（愛媛県）から四国の河野水軍を祖とする三木通武が英賀に入って来た。英賀は瀬戸内海に面した陸海交通の要衝で、ここに通武は英賀城を築く。英賀城は、南に播磨灘、西は夢前川、東は水尾川、北は沼田の湿地帯に囲まれた海城であった。

英賀は古くから商業が発達し、市場を形成していた。三木氏の時代に入って、英賀城は次第に整備され、16世紀には800軒もの家が立ち並ぶ城下町に発展した。その契機となったのは当時北陸・近畿で大きな勢力を持っていた大坂の石山本願寺との結びつきであった。城主はじめ家臣、農民、商工業者たちは、石山本願寺やその宗派の人々と関係を深め、城内に英賀本徳寺を建立するなど熱心な一向宗信者となっていったのである。

1577（天正5）年、織田信長は近畿をほぼ平定し、中国地方で大きな勢力をもっていた毛利氏を討つため、羽柴秀吉を播磨に送って来た。当時、信長は伊勢長島や越前の一向一揆勢力を打ち破り、その総本山である大坂の石山本願寺と激しく戦っていた。石山本願寺は毛利氏に兵糧や武器の援助を乞い、英賀の港はその援助物資を送る重要な中継基地となっていた。また、英賀はこの頃、信長に反旗を翻していた三木城の別所氏へも兵糧を送っていた。

1580（天正8）年、秀吉は三木城を落とすと、英賀城も大軍をもって攻め落とした。この時、城を失った英賀の町衆は秀吉の命で姫路城下の龍野町に移されたと言われている。ここで自由な商売が許されたことが龍野町の楽市・楽座の立て札に残っている。また、英賀本徳寺は落城とともに焼失したが、秀吉による寄進を受け、亀山に新しく本徳寺が建立されたと伝わっている。

英賀城本丸跡に立つ石碑

このように、播磨を平定していく秀吉に付き従っていたのが、黒田官兵衛であった。

黒田官兵衛と羽柴秀吉

黒田家の歴史を記した『黒田家譜』によると、官兵衛の祖父重隆《しげたか》の時、黒田家は備前福岡から播磨にやって来た。そして、廣峯神社の御師《おし》と結びつき、家伝の目薬で財をなし、御着城主の小寺氏に迎えられた。父の職隆《もとたか》は小寺政職《まさもと》の養女（明石城主の娘）を娶り、政職から小寺姓を与えられ、家老職と共に姫路城主を祖父から継いだと伝えられている。

1546（天文15）年、官兵衛が姫路城で誕生した。彼も22歳の時、職隆と同様、政職の養女（志方城主の娘・光《てる》）を娶り、小寺家の家老職と姫路城主を受け継いだ。この頃、小寺氏は毛利に付くか

参照 黒田官兵衛⬇14頁、52頁

御着城址（＊3）

黒田如水（官兵衛）像（福岡市美術館蔵）

黒田家廟所

織田に付くか決断を迫られていたが、織田に付くべきと進言したのは官兵衛であった。さっそく小寺政職の名代として信長と会い、織田方に付くことを認められた。2年後、信長の命で播磨に入った秀吉を、官兵衛は姫路城に迎え入れた。

官兵衛は播磨の諸将を織田方に付けるべく奔走するが、三木城の別所氏と有岡城（伊丹城）の荒木村重が信長に反旗を翻し、政職も同調するという事態が起こった。この時、官兵衛は村重の説得に赴くが有岡城に幽閉されてしまう。一時は窮地に立った信長も、宇喜多《うきた》氏の寝返りや九鬼《くき》水軍の活躍などで毛利氏・石山本願寺との戦いを制し、有岡城も落城した。一方、秀吉が御着城、三木城、英賀城、長水《ちょうすい》城を相次いで落とし、1580（天正8）年、播磨は平定された。

秀吉はこの年、姫路城の改修に着手し、有岡城から救出された官兵衛は父と共に妻鹿の国府山《こうやま》城に移った。その後、3重の天守をもつ姫路城が完成、秀吉の中国攻めの拠点になった。この頃、官兵衛は揖東郡1万石を与えられ、やがて播州山

黒田家譜
福岡藩士だった儒学者・貝原益軒が、藩主黒田光之の命によりまとめた15巻本。黒田家の発祥から長政までが描かれている。

崎に移ったと言われている。
　1582（天正10）年、秀吉が備中高松城を「水攻め」している最中に「本能寺の変」の報が入った。主君信長が討たれ、呆然とする秀吉に官兵衛は、今こそ天下を取る好機と進言。急いで和睦《わぼく》を結んだ。秀吉にとって主君の信長を討った明智光秀と戦うには、一刻も早く京都に向かわなければならなかった。1万7千の兵が摂津山崎までの約200kmをわずか7日間で駆け抜ける「中国大返し」は官兵衛に負うところが大きく、これが成功したことで、秀吉は山崎の戦いで光秀を破り、信長の後継者の最有力候補となることができた。その後、秀吉は姫路城に弟の羽柴秀長、義兄の木下家定を配し、自らは大坂城を築き、関白となって四国・九州・関東・東北を次々と平定した。そして1590（天正18）年、秀吉はついに国内統一を成し遂げた。

国府山城

　官兵衛は秀吉が九州を平定した後、豊《ぶ》前《ぜん》国6郡12万3千石を与えられたが、間もなく家督を長男・長政に譲り、文禄《ぶんろく》・慶長《けいちょう》の役の時、剃髪《ていはつ》して「如水《じょすい》」と号した。一方、長政は、秀吉の死後、家康方に属し、関ヶ原の戦いでの戦功を挙げ、筑前《ちくぜん》国52万3千石の大名に任じられ、福岡藩黒田家の発展の礎を築いた。

官兵衛の“別の顔”
黒田官兵衛にはドン・シメオンという洗礼名をもつキリシタン大名であった。秀吉が禁教令を発するなか、59歳で亡くなるまでキリスト教への信仰を捨てなかったとイエズス会の記録には記されている。

近世の姫路

池田輝政の入部

1600（慶長5）年10月、関ヶ原の戦いのあと池田輝政が姫路の藩主として入部してきた。輝政は、徳川家康の娘督《とく》姫《ひめ》が妻で、さらに関ヶ原で手柄を立てて家康から手厚い庇護を受け、播磨52万石を与えられた（弟長吉も因幡6万石に）。その後、次男忠継《ただつぐ》が備前28万石、三男忠《ただ》雄《かつ》が淡路6万石を拝領して計86万石を領有する。そして播磨で年貢の2割打ち出し政策をとったため約100万石を有する大大名となり「西国将軍」とも言われるようになった。

1601（同6）年からは豊臣秀吉の築いた3重の姫路城を解体し、新たに5重6階地下1階の天守を持つ現在の姫路城の築城に取りかかり、1609（同14）年これを完成させた。その間に78町の町割を行い、城下町の建設にも着手した。

池田輝政像（書寫山圓教寺蔵＊3）

本多忠刻と千姫

輝政の死後、利隆、光政と受け継いだ

参照 池田輝政➡54頁
参照 町割➡76頁

三左衛門堀（外堀川）（＊5）

化粧櫓と長局

後、池田家は備前（岡山）と因幡（鳥取）に転封された。次に姫路に入ってきたのは、徳川四天王の一角を占める本多家である。本多忠政は入部の時、藩領は15万石に減封されたが、家康の孫娘千姫を妻に迎えた嫡男の忠刻《ただとき》に10万石の化粧料が与えられ、25万石を領有することになった。

忠政は、船場川を改修し飾磨津の港と姫路城の間に物資が運べるように舟運を整えた。また、鷺山《さぎやま》（姫山の西）の位置に西の丸を整備して忠刻の居館と千姫のため化粧櫓を造り、三の丸には武蔵野御殿と呼ばれる館を建設した。

めまぐるしい藩主の交替

江戸時代の前半には姫路の藩主が目まぐるしく交代する。本多氏の次に大坂城代から大和郡山を経て入部してきた奥平松平氏、次に出羽山形より結城松平氏、そして陸奥白河から榊原氏が藩主として入ってきた。

これらの大名は、短期間の統治で転封となったが、これは、姫路藩が西国防衛の要だったため、幼少藩主を退ける幕府の政策であった。

短い期間とはいえ榊原氏の時代は、第一次の榊原忠次の時に夢前川の付け替え工事をはじめ、年貢の減免や新田の開発

参照 武蔵野御殿⬇75頁脚注

榊原忠次の墓所
名君の誉れの高い忠次の墓所は、増位山随願寺にある。石碑の碑文を読み解くと下の亀が動くという伝説がある。

などに力を入れ、治政の成果を上げている。また二次の榊原氏も善政を敷くが、政岑《まさみね》の代になって不行跡のため越後高田へ転封となった（表1）。

産業の発達と城下の賑わい

姫路の城下は産業も発達し、次第に賑わいをみせてきた。村方（農村部）では大庄屋―庄屋制度が整い、町方（都市部）では大年寄―年寄制度が整備され、藩内の統治機構が円滑に機能し始めた。

社会秩序が安定し始めると人々の経済活動も活発となり、農業以外の新しい産業も発展。この頃の盛んな産業には、米穀商・鋳物道具・醸造業・皮革業・絞油業・木綿業などがあった。1704（宝永元）年の統計記録を見る

表1　歴代姫路藩主の交替

	家別在任時代区分	藩　主	領 有 期 間	領知高	前封地 転封先	転封理由
1	池田時代	輝政－利隆－光政	1600（慶長5） ～1617（元和3）年	52万石 42万石	三河吉田 因幡鳥取	幼少
2	一次本多時代	忠政－政朝－（政勝）	1617（元和3） ～1639（寛永16）年	15万石	伊勢桑名 大和郡山	幼少
3	松平（奥平）時代	忠明－忠弘	1639（寛永16） ～1648（慶安元）年	18万石	大和郡山 出羽山形	幼少
4	一次松平（結城）時代	直基－直矩	1648（慶安元）年 ～1649（慶安2）年	15万石	出羽山形 越後村上	幼少
5	一次榊原時代	忠次－政房 政倫	1649（慶安2） ～1667（寛文7）年	15万石	陸奥白河 越後村上	幼少
6	二次松平時代	直矩	1667（寛文7） ～1682（天和2）年	15万石	越後村上 豊後日田	宗家お家騒動
7	二次本多時代	忠国－（忠孝）	1682（天和2） ～1704（宝永元）年	15万石	陸奥福島 越後村上	幼少
8	二次榊原時代	政邦－政祐－政岑（政永）	1704（宝永元） ～1741（寛保元）年	15万石	越後村上 越後高田	幼少 政岑不行跡
9	三次松平時代	明矩－（朝矩）	1741（寛保元） ～1748（寛延元）年	15万石	陸奥白川 上野前橋	幼少
10	酒井時代	忠恭－忠以－忠道－忠実－忠学－忠宝－忠顕－忠績－忠惇－忠邦	1749（寛延2）年 ～明治	15万石	上野前橋	

と、人口は男1万9444人、女1万1214人で、戸数は2919戸、借家1425戸で合計7344戸となっている。姫路のまちは、井原西鶴が浮世草子『好色五人女』の「姿姫路清十郎物語」（お夏・清十郎）に描き出したような賑わいをみせていた。

陸上交通の発達と飾磨津

姫路はまた東西南北に通ずる交通の要の地でもあった。東西に姫路城下を貫くのは、西国街道。北へは、但馬街道や因幡街道が通じており、南には播磨灘の海上交通が発達していた。江戸時代も後半になるが、文化年間(19世紀初め)には伊能忠敬がこれらの街道筋を測量している。

飾磨津の港には御船手組《おふなてぐみ》という姫路藩の水軍が置かれていた。所替えで藩主に異動があっても、御船手組は輝政の時代から変わらなかったので独自の発展を遂げてきた。

姫路藩には、このほかに高砂、室津と合わせて3つの外港があり、年貢米や木綿など物資の積み出し、参勤交代の大名の寄港地として、また北前船の出入りなど海上交通の拠点として発達した。

江戸時代の姫路藩と姫路市域

今の姫路は、江戸時代のいくつかの藩が集まってできている。姫路藩は東に広がっていて、加古川市・高砂市・播磨町などを含む15万石を領有した。林田藩は1万石で陣屋を構えていた。安志藩は1万石。網干は複雑で丸亀藩の飛地領興浜には陣屋が置かれ、龍野藩領として新在家があり、天領としては余子浜・大江島

参照 姿姫路清十郎物語⬇118頁
お夏・清十郎⬇22頁

飾磨津の賑わい

本多忠政が船場川を整備し、物資の流通が活発となった。1846（弘化3）年には「湛保《たんぼ》」と呼ばれる港が築かれ水深が深くなり、年貢米や姫路木綿など特産品の運搬が盛んになった。船場川沿いには回船問屋が軒を並べ、大いに繁栄した。

参照 船場川⬇25頁

等があった。このため網干には、藩の境界を示す「境橋」などがつくられた。また、山崎藩、新宮藩などの内陸藩の物資の積み出し港があり、揖保川の舟運には高瀬船が就航していた。

寛延の大一揆

姫路藩では、江戸時代中期に大きな百姓一揆が起こっている。この一揆を「寛延の大一揆」という。一揆は、藩主松平明矩《あきのり》の病死を受けて嫡男の朝矩《とものり》が家督を相続するが、幼かったため前橋に転封となった時期に起こっている。

滑甚兵衛の供養塔（＊5）

うち続く台風や洪水などの自然災害に松平氏の失政ともいうべき厳しい年貢の取り立てが加わって農民の反発を招き、加古川下流域から市川筋、夢前川筋でそれぞれ一揆が大きな広がりをみせ、姫路藩全域におよんだ。なかでも夢前川流域では、ほかの打ち壊し一揆と異なり、村落自治を試みようとした滑《なめら》甚兵衛がこの一揆の指導者として行動し処罰されたが、後世になって義民とたたえられた。

酒井家の姫路入封

1749（寛延2）年に所替えで姫路にやってきた酒井家は、入部してすぐに大きな事件と災害に見舞われる。まず正月には、寛延の大一揆が発生した。そし

義民・滑甚兵衛
甚兵衛らは、重い磔刑に処された。農民が秩序を破ることを決して許さないという見せしめであった。が、彼らの訴えは新たな藩主酒井忠恭の政策にある程度生かされた。甚兵衛らはのちに義民として、供養塔ができ、置塩神社に祀られている。

て7月になると、大洪水に見舞われ城下の町家が流失し、多くの溺死者を出すという災害を経験した。

この危機を乗り切ったのが家老の河合定恒《さだつね》である。定恒は洪水で逃げ場を失った町民を城内に避難させ、さらに御蔵米《おくらまい》を使って炊き出しを行い、多くの領民を救助した。市川下流の四郷町山脇には、この時の慰霊碑が、「為溺死菩提」として残っている。

しかし、定恒は藩主酒井忠恭《ただずみ》が進めた前橋から姫路への転封を快く思っていなかった。所替えの煩雑な政務の引き継ぎを終え、大庄屋を合併して半減するなど藩内の行政改革を進めた後、藩主忠恭の意向をくんで転封を進めた本多民部左衛《みんぶざえ》門《もん》と犬塚又内《ゆうない》を中ノ門の私邸に招いて「お家に仇なすもの」として惨殺し、自分も切腹するという刃傷事件を起こしている。

多難な門出となったが、酒井忠恭は姫路藩にとって「中興の君」として敬われている。

河合道臣（寸翁）の藩政改革

江戸時代の後期になると貨幣経済が発達して、封建制度が揺らぎ始めた。年貢収入にのみ頼っていた大名家では、多くの借金に悩むようになる。姫路藩では、19世紀初め（文化年間）になると財政は窮乏し、73万両という借金を抱えるようになった。

この時、藩主から全権を委任されたのが家老の河合道臣《みちおみ》（寸翁《すんのう》）である。寸翁の改革は、財政のみに止まらず藩政全般の改革へと進んだ。

参照 河合道臣（寸翁）⬇140頁

河合道臣（寸翁）

まず、領民の安心のため福利厚生策として飢饉に備え固寧倉《こねいそう》の設置を進めた。次に産業の育成のため特産物であった木綿の江戸直売の道を開き、同時に領民に無利息で生業資金を貸し付け、特産物の育成を奨励した。また御国用積銀制度を実施し、藩財政の改善と領民の生計の安定に尽力した。そして皮革業や塩業など産業の振興に努めた。

白浜の固寧倉（1843 年設置）（＊5）

特に木綿業の発展には力をいれ、藩札の流通を盛んにするなど生産力の向上を図っている。寸翁は、これらの政策を遂行するため現在の綿町に切手会所、御国産木綿会所を設けた。国産木綿では、江戸積み株仲間による専売制度を確立した。次に江戸での直売権を確立するため、幕府や将軍家への接近を図っている。十一代将軍家斉《いえなり》の娘喜代姫《きよひめ》と姫路酒井家五代目藩主の酒井忠学《ただのり》との婚姻などは、こうした政策を成功させるための政略結婚であったと考えられる。

河合寸翁は、譜代筆頭格の大名として酒井家が江戸幕府の中枢に参画し、さらに朝廷との親密な関係を築き、国難に備えることを考えていた。藩主忠学の娘いつ姫を九条家に嫁がせるなど、朝廷との関係を強めるためにここでも政略結婚を進めている。公・武の絆を強め、来るべき国難に備えるための布石であったと思われる。

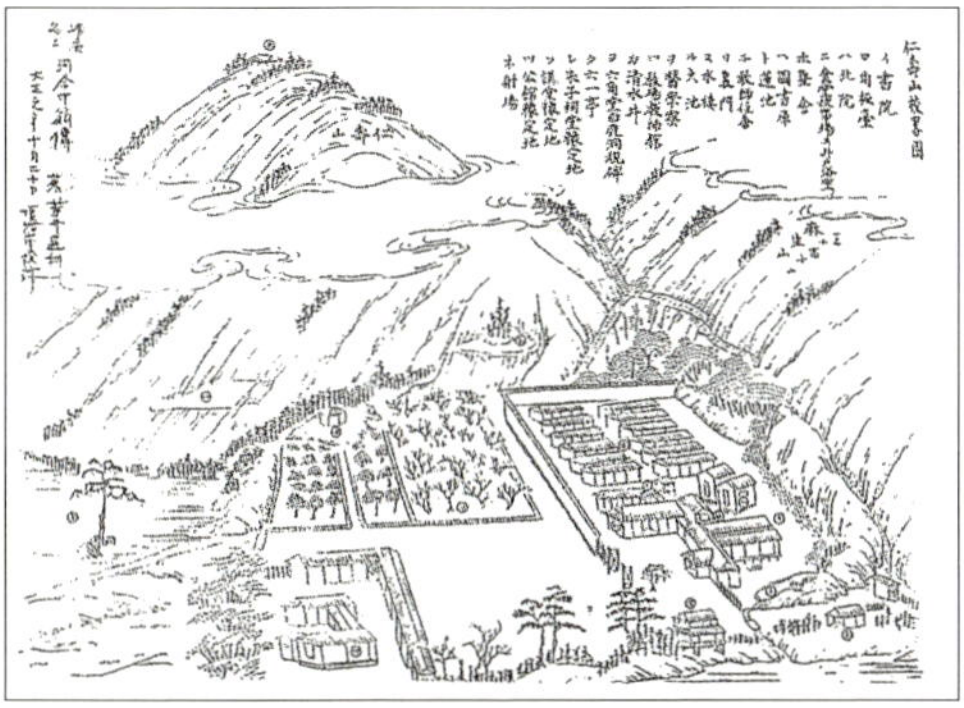
仁寿山校略絵図（『姫路藩の家老　河合寸翁伝』より）

さらに見るべきは、教育政策である。姫路藩には藩校として好古堂《こうこどう》があったが、寸翁は人材は国の宝と考え、仁寿山校を開き、身分にとらわれない自由な学風を重んじて人材育成に努める。頼山陽をはじめ当時の著名な学者がこぞって仁寿山校を訪れている。

高砂には、申義堂《しんぎどう》があり菅野真齊《しんさい》等が教授し開明的な学風を誇った。そして城下には松岡操が指導した熊川舎《ゆうせんしゃ》などの私塾も盛んになり人材育成が重視されていた。

河合家墓所（＊5）

そのほか近隣の諸藩を見ると、林田藩には敬業館《けいぎょうかん》があり河野鉄《てっ》兜《とう》が多くの門弟を育て、網干にはその弟の

河合家墓所
墓所は仁寿山校のあった麻生山の南西にある。寛延の大洪水の際、避難民に姫路城内を開放し、米2千石を与えた家老・河合定恒の百回忌に船場町民が寄進してできた。

参照 敬業館⬇28頁

河野東馬《とうま》が開いた私塾で誠塾（稲香村《とうこうそん》舎《しゃ》）がよく知られている。また、安志藩には、明倫堂があった。

ペリー来航と姫路

1853（嘉永6）年ペリーが黒船に乗って浦賀にやって来た時、姫路藩は江戸の芝・高輪の警備を命ぜられた。国元へも藩士の出動命令が出され、4班に分けられて総勢120人ほどの兵士が出動した。翌年正月の2度目の来航時には、姫路藩は鉄砲洲・佃嶋の警備を担当したが、この時の出動の様子は「行軍図」という立派な絵巻物で残されている。黒船の来航は姫路藩士にも大きな影響を与えた。

1854（安政元）年12月、播磨町の栄力丸《えいりきまる》の漂流民がアメリカから帰還する。秋元正一郎（安民）は、これらの漂流民から大船の構造を聞きただし、西洋型帆船「速鳥丸《はやとりまる》」の建造に取り組む。また江戸の昌平黌で舎長を勤めた菅野白華《はっか》（狷介《けんすけ》）は、北方の探索に出かけ北海道の箱館（函館）から釧路・根室方面（厚岸）まで1年をかけて調査した。

秋元正一郎（安民）により建造された速鳥丸（＊2）

姫路で西洋型帆船が完成した頃、江戸では安政の大獄が始まっていた。菅野白華は、水戸藩家老と親交があったため姫

参照 誠塾➡27頁

路藩では唯一人この獄に連座し、ひどい拷問を受けた後、姫路の獄に5年間幽閉される。明治になって版籍奉還の建言書の原案を作った人物と言われている。

姫路藩尊皇攘夷運動と甲子の獄

幕末の姫路藩は、公・武にわたる強い絆を築いて公武一和を藩是としていた。しかし八代目藩主となった酒井忠績《ただしげ》は、老中筆頭になり徳川幕府への忠義を貫く。このため公武一和の思想をもとにして行動していた姫路藩の河合惣兵衛《そうべえ》らの尊攘派志士は、佐幕派に偏ることは幕府と存亡を共にすることになり御国のためにならないと反対し、藩主との対立を深めていった。

1864（元治元）年、京で禁門の変が起こると、第一次長州征伐が発令される。酒井忠績は幕府と危機感を共有し、国元の尊攘派の粛正に踏み出した。これを「甲子《かっし》の獄」という。死罪8名、永牢6名、連座するもの56名におよぶ大弾圧となった。藩内の尊攘派を一掃した忠績は、翌年2月に江戸幕府最後の大老となった。しかし、1868（慶応4）年正月、鳥羽・伏見の戦いが起こると、佐幕派として行動した姫路は朝敵藩となった。

最後の大老・酒井忠績（＊2）

（＊5）

河合惣兵衛の顕彰碑
仁寿山校で学び尊皇攘夷へ傾倒した河合惣兵衛の顕彰碑は外濠公園にある。

姫路城開城

１８６８（慶応４）年正月16日、備前藩に包囲された姫路藩は、無血開城の道を選ぶ。姫路を開城させたのは備前藩であるが、実は正式の討伐命令を受けたものではなかった。新政府が派遣した姫路藩討伐の本隊（本師《ほんし》）は、23日に姫路に入り、「朝敵罪第三等」の処分案を示した。備前藩は、この本師を応援する命令を受けただけで行動を起こしたのである。そのため後に「僭越《せんえつ》」な行動であったことを鎮撫総督《ちんぶそうとく》に陳謝している。

　一方姫路藩では、鳥羽・伏見の戦いに従軍して国元に帰ってきた重臣が、大坂城から撤退する時、「決して防戦しててはならない」という藩主酒井忠惇《ただとし》から受けた命令を守り、朝廷尊奉の実効を示すため無血開城を決断した。ただ新政府から朝敵藩とされたため、その後多くの嘆願書を出して「本領安堵《ほんりょうあんど》」と酒井家の「家名存続」を願い出ている。

　ようやく5月になって15万両の軍資金を献納することにより姫路藩は城と領地を安堵される。しかし、国元のこの決断を江戸の藩士は否定したため、江戸と国元の意見の対立が激しくなり、姫路藩は分裂してしまい、混乱した状況がしばらく続いた。

　甲子の獄で江戸に幽閉されていた勤皇派の家老河合屛山《へいざん》が藩政に復帰し、姫路藩は勤皇派の藩として生まれ変わった。屛山は対立していた江戸と国元の藩士を同じ佐幕派として一括りにし、厳しく処罰した。これは「戊辰《ぼしん》の獄」と呼ばれている。

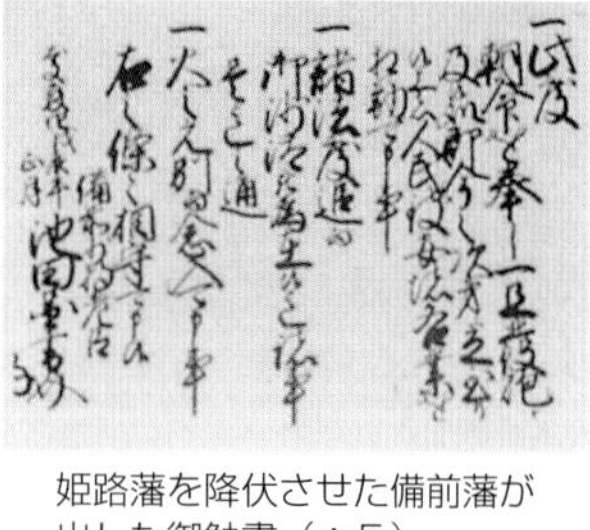

姫路藩を降伏させせた備前藩が
出した御触書（＊5）

近現代の姫路

版籍奉還の率先建議

明治維新は、姫路藩に大きな変化をもたらした。1868（明治元）年10月には江戸の下屋敷に長く幽閉されていた家老河合屏山が、藩政に復帰し勤皇派の支配する藩に代わった。河合屏山は、勤皇の実効を示すため他藩に先駆けて版籍奉還を建議した。これはその後、維新政府と文言の内容で4度もやりとりをしている間に薩長土肥の4藩の建議として取り上げられてしまったが、姫路藩が最初の提案者であった。

廃藩置県と飾磨県の成立

1871（明治4）年7月、廃藩置県の詔《みことのり》が発せられると、まず江戸時代の藩は全て県に変えられた。姫路藩はそのまま姫路県となったが、その後、県の数が多すぎるので府県の統合と合併が進み、11月には播磨国の10県がまとめられ新たに姫路県が誕生する。しかし、その1週間後の11月9日、飾磨県と名称が変更となった。これは、最初の飾磨県の長官に任命された丸亀藩士の土肥実光《さねみつ》が着任前に県

薬師山より望んだ飾磨県庁と姫路城（＊2）

名の変更を嘆願したためである。その後徳島藩士の中島錫胤《ますたね》、薩摩藩士の森岡昌《まさ》純《ずみ》と三代の長官（参事・権令《ごんれい》）が着任した。

飾磨県権令・森岡昌純（＊5）

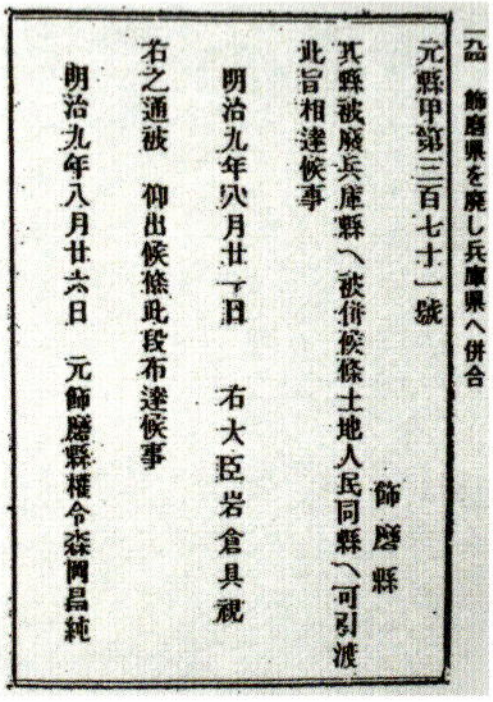

一四〇　飾磨県を廃し兵庫県へ併合

元縣甲第三百七十一號

飾磨縣

其縣被廃兵庫縣ヘ被併候條土地人民同縣ヘ可引渡

此旨相達候事

明治九年八月廿一日　右大臣　岩倉具視

右之通被　仰出候條此段布達候事

明治九年八月廿六日　元飾磨縣權令森岡昌純

飾磨県と兵庫県の合併を伝える布達（＊2）

飾磨県の廃止

廃藩置県の後、近代の姫路は新しく成立した飾磨県の県庁所在地としてスタートした。１８７６（明治9）年8月14日、姫路城下の西方、薬師山に飾磨県の新庁舎が完成した。17日から19日まで一般市民に公開され22日に移転という時、前日の21日に中央政府は、飾磨県の廃止と兵庫県への合併を決定し、最初の権令には森岡昌純が就任した。県民の多くの寄付を募って新築された飾磨県庁舎は、県庁としては一度も使われることなく兵庫県姫路支庁となった。

兵庫県誕生秘話

現在の兵庫県の誕生には、多くの謎が残っている。大久保利通の決断が大きく影響したというが、まず大久保は、出石藩出身の桜井勉に県域の区割りについて相談した。桜井は、大久保の「兵庫県は開港場を有する。県力をして貧弱ならし

使われなかった飾磨県庁舎
飾磨県庁として新築された庁舎は一度も県庁の働きをしないまま、兵庫県の姫路支庁となった。

むべからず」との考えを重んじて豊岡県を分割し、兵庫県と飾磨県を合併させ、そのうえに但馬と丹波２郡を加える案を作った。後に淡路が名東県《みょうどうけん》から分離して兵庫県に合わさり、山陰・山陽・瀬戸内にまたがる今の兵庫県が成立した。この異例のプロセスについてはまだ解明されていない。

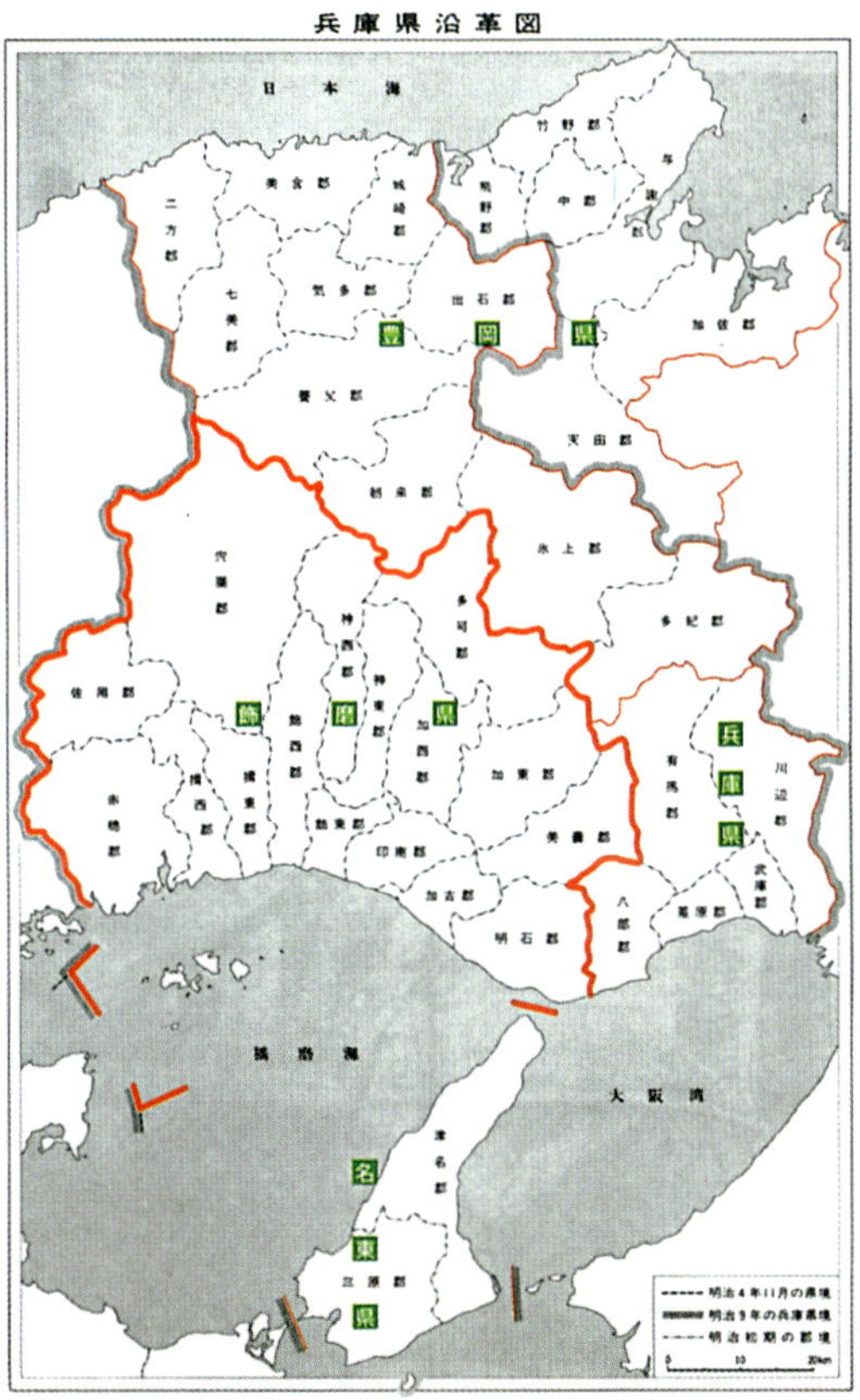

兵庫県沿革図（『飾磨県布達１』付図より作成）
赤い太線が飾磨県。赤と黒の線の重なった太い実践が今の兵庫県。細い赤線は明治４年当時の県域。細線は郡を示す。

殖産興業と士族授産事業

姫路の産業は、江戸時代から続く木綿業や皮革業が特産物として推奨されてきた。木綿業では県立姫路紡績所がつくられた。一方、皮革製品が国際的に認知されるようになったのは、1873（明治6）年ウィーンの万国博覧会への出品が始まりである。その後フィラデルフィア、パリ、シカゴ、セントルイスの万博に出品された姫路革は、美術品として評価を高めた。

金融業では、第三十八国立銀行が1878（同11）年に設立され、姫路で1円札や5円札が発券された。そのほか播陽時計が作られ、製麺業なども盛んになった。1876（同9）年には生野銀山と飾磨津を結ぶ「銀の馬車道」も開通した。

第三十八国立銀行（「絵で見る明治商工便覧第７巻」より）

姫路革の文庫（姫路市立書写の里・美術工芸館蔵）

播陽時計（＊3）

軍都の形成

姫路が軍都としての特徴を形成し始めるのは、1874（明治7）年第十連隊の設置からになる。前年に徴兵令が施行され、徴兵で多くの新兵が大阪鎮台に入営、陸軍の地方展開を図るため、第十連隊が姫路城三の丸に移転してきた。その後、日清戦争を経て、姫路では陸軍師団の誘致運動が進み、1896（同29）年第十師団の設置が決まり1898年から

銀の馬車道

生野銀山（現朝来市生野町）は、明治に入り、生産量を上げるために外国人技師や技術を導入。必要な資材を運搬するために生野と飾磨港約49㎞を結ぶ馬車道が整備された。正式には「生野鉱山寮馬車道」といい、日本初の高速道路であった。

生野鉱山寮馬車道の修築碑（＊5）

歴代の姫路市長

1889年7月～98年8月　有留　清▼1898年11月～1900年7月　小畑茂穂▼1900年11月～01年2月　大野親温▼1901年6月～

正式に発足した。本部は、姫路城内の内京口門の中に置かれた。

日清・日露・第一次世界大戦と10年ごとに起こった戦争は、軍都姫路の性格を強めていく。日露戦争と第一次世界大戦では、亀山本徳寺や船場本徳寺、景福寺、妙行寺などが捕虜収容所として使われた。この頃は捕虜を人道主義の精神をもって扱うとの啓蒙が進んだため、姫路市民との交流が記録に残っている。

姫路第十師団司令部（＊4）

姫路市のスタート

姫路が市制を敷いたのは、1889(明治22）年4月。全国で最も早く市制を敷いた39都市の一つである。初代市長に有《あり》留《どめ》清が選ばれた。人口2万4958人、世帯数5437戸、面積3・03㎢の市域が生まれた。

大正期に入ると姫路も第一次産業革命という時期を迎える。姫路市長となった堀音吉による都市計画の進展で大企業の誘致が進み工業用地が不足してきたため、周辺町村との合併で市域を拡大する必要に迫られたのであ

1915年に完成した姫路市庁舎（＊5）

09年4月　大塚武臣▼1909年6月～15年6月　堀　音吉▼1915年11月～19年11月　井上正進▼1920年4月～24年4月　杉山義治▼1924年9月～30年2月　滋岡長彦▼1930年8月～34年8月　佐藤復三▲1934年9月～38年9月　田寺俊信▼1939年5月～39年6月　蔵重　久▼1939年10月～43年10月　坪井勧吉▼1943年10月～46年2月　原惣兵衛▼1946年3月～46年4月（臨時代理）　原惣兵衛▼1946年4月～46年6月（臨時代理）　宮垣幸吉《新市制》1946年7月～67年4月　石見元秀▼1967年4月～83年4月　吉田豊信▼1983年4月～95年4月　戸谷松司▼1995年4月～2003年4月　堀川和洋▼2003年4月～　石見利勝

る。この時使われた掛け声が、「グレート姫路」というスローガンであった。1925（大正14）年城北村との合併を始まりに1936（昭和11）年までに水上・砥堀・城南・高岡・安室・手柄・荒川村等を合併し市域を広げていったが、海岸線の飾磨はこの時まだ姫路市ではなかった。飾磨は、隣の広畑村との合併を望んでいたが日本製鐵（現新日鐵住金）の進出が決まったために断られた。飾磨市として独立したのは、1940（同15）年である。

商業会議所と教育と文化

第一次世界大戦前後から経済活動も活況を呈し、姫路は紡績業の町として福島紡績をはじめ多くの企業が進出してきた。中心となる姫路商業会議所は、1922（大正11）年に設立された。この間、米騒動などの事件があったが、公設市場などを設けて対策を講じ、大正デモクラシーの発展と共に姫路の町も活気がみなぎってきた。1926（同15）年、全国産業博覧会が城南練兵場（現大手前公園）で開催されている。

旧制姫路高等学校の講堂（＊2）

教育制度を見ると、姫路中学校（現県立姫路西高等学校）は、1878（明治11）年、県下初の中学として開校。初等教育は試行錯誤を繰り返しながら1907（同40）年から六年制の尋常小学校が整備さ

姫路商工会議所

姫路経済の振興を目的として、前身の姫路商業会議所が1922（大正11）年に設立された。戦後の1946（昭和21）年、姫路商工会議所となった。2013年7月現在約7400の会員企業が加盟し、第18代会頭を三宅知行氏（姫路信用金庫理事長）が務める。

れていく。そして、1910（同43）年には県立姫路高等女学校（現県立姫路東高等学校）が、翌年には市立姫路商業学校が創設された。この頃に戦前の教育制度は整った。官立姫路高等学校は、1924（大正13）年に設立された。

文化では、姫路独自の地方新聞である「鷺城新聞」が発行されている。

焼け野原となった姫路市街（＊4）

お城は残った—姫路空襲

太平洋戦争は姫路に深刻な被害を与えた。1945（昭和20）年6月22日と7月3日の2度にわたる空襲で姫路城下は廃墟となった。姫路は戦前、軍需産業の町であった。また1937（同12）年に日本製鐵の広畑進出が決まり、1943年（同18）には東芝や川西航空機、三菱電機などが誘致された。6月22日の空襲では、この川西航空機が標的となり、初めての本格的な空襲で勤労動員の学生などが多数被害に遭った。

2度目の7月3日の空襲は深夜11時のこと。焼夷弾攻撃により船場川が火の海となったという体験談が残っている。焼け野原には、ほとんど無傷の姫路城が残っていた。戦後の姫路はこの戦災から

鷺城新聞
姫路で発行された日刊紙で、1900（明治33）年創刊、廃刊は1919（大正8）年。三木露風らが投稿し、播磨の文芸運動をけん引した。

5千号を記念する鷺城新聞（＊2）

参照 姫路市平和資料館➡39頁

立ち直ることが一番の課題となった。

電光石火の合併

1945（昭和20）年9月、廃墟と化した姫路にアメリカ進駐軍のラモート中佐がやってきた。中佐は焼け野原となった姫路市域を視察し、戦災復興のポイントを合併においた。そして海岸線の白浜、飾磨、広畑、網干、大津など姫路市に隣接する地域を編入することにした。合併の狙いは、自治体の規模を大きくすることで財政を安定させ、行政の効率化を図り、復興の推進と住民サービスの向上を図ることを考えての政策であった。1946（同21）年1月に発議し、3月には実現したためその速さから「電光石火の合併」と言われた。

太平洋戦全国戦災都市空爆死歿者慰霊塔（島内治彦撮影＊3）

完成した50メートル道路（姫路市刊行物より）（＊5）

新生姫路と戦災復興

太平洋戦争で大きな被害を受けた姫路は、「新生姫路」をスローガンにして戦後復興に着手した。空襲を受けた全国113都市に呼びかけ「全国戦災都市連盟」

太平洋戦全国戦災都市空爆死歿者慰霊塔
塔の高さは26・75m。1956（昭和31）年、全国から寄せられた寄付により建立された。塔の両側には空襲被害を受けた東京、広島、長崎、姫路市も含めた113都市・151万人の犠牲者数を刻んだ柱が立っている。

参照 手柄山中央公園➡43頁

を結成し、手柄山に犠牲者の霊を慰める「太平洋戦全国戦災都市空爆死歿者慰霊塔」を築き、次のような復興事業に踏み出した。「50メートル道路」の建設、山陽電鉄の高架化、姫路民衆駅の竣工等である。日本製鐵の後継会社である富士製鐵の広畑製鐵所は1950（昭和25）年から操業を開始し、1952年には関西電力姫路第一発電所も稼働を始めた。1956（同31）年からは姫路城の解体修理が始まり、戦災復興から立ち上がった。そして姫路は、現在に続く発展の歩みをスタートさせた。

手柄山で行われた姫路大博覧会のイラスト（姫路市刊行物より）（＊5）

1989年に開かれたシロトピア博の様子

シロトピア博と世界文化遺産

高度経済成長期に入ると、姫路は盛んに工業誘致を行っている。1964（昭和39）年には、臨海部が「播磨工業整備特別地域」に指定され、網干港、広畑港、飾磨港を一本化して姫路港とし、1967（同42）年には国の特定重要港湾の指

完成したばかりの姫路民衆駅（姫路市刊行物より）

定を受け播磨臨海工業地帯が形成された。

また、1966(昭和41)年には、地場産業の発展の足がかりになることを願って「姫路大博覧会」が開催され、150万人の入場者で賑わった。これ以降、姫路では文化施設なども充実、市立美術館、県立歴史博物館、日本城郭研究センターや姫路文学館など次々とオープンした。全国初の公私協力方式で姫路獨協大学も開学した。1989年に市制100周年を記念して催された「シロトピア博」では、160万人の人々が入場した。そして1993年、姫路城が世界文化遺産に登録されるというビッグニュースに沸いた。

しかしこの年、新日本製鐵の高炉が休止され、長く続く不況を予感させる出来事もあった。1996年には中核市に移行した。

平成の大合併

姫路は、その後も合併により市域を拡大していった。1957(昭和32)年から始まった合併では、大塩町で住民投票が行われ、高砂を選ぶか姫路を選ぶかで紛糾した。その後1967(同42)年に林田町との合併があった後、しばらく合併の機運は消滅していたが、21世紀に入って地方分権の時代といわれるようになると、全国的に自治体の合併が促進された。2006年、香寺・夢前・安富・家島の4町と姫路市とが合併する「平成の大合併」が実現し、現在の姫路市域ができあがった。

第４章

文化と食

写真や資料の所蔵・提供先は以下の記号で示した。

＊1　姫路文学館
＊2　姫路市立美術館
＊3　姫路フィルムコミッション
＊4　『BanCul』姫路市文化国際交流財団

文学

播磨は『播磨国風土記』の時代から豊穣の地として栄え、海の道、陸の道により運ばれてきた多くの文化を独自に育んでいった。その昔、長い船旅に身をおく万葉歌人は、播磨の泊で風待ちするとき、さまざまな情感にとらわれ歌を詠んだ。

江戸時代には儒学者が、明治から昭和にかけては哲学者、作家、文学者ら多くの優れた文人が姫路から輩出したほか、姫路の歴史や風土をベースにした文学作品も多く生まれている。

万葉集に詠まれた姫路

風吹けば波か立たむと伺候《さもらひ》に都太《つだ》の細江に浦隠《うらがく》り居り　（山部赤人　巻六　九四五）

↓風が吹くので沖の波は高いだろうと様子をうかがって、都太の細江に一時退避しているところだよ。

飾磨江は漕ぎ過ぎぬらし天伝《あまづた》ふ日笠の浦に波立てり見ゆ　（巻七　一一七八）

↓飾磨の沖はもう通り過ぎたらしい。日笠の浦に波が立っているのが見える。

わたつみの海に出でたる飾磨川絶えむ日にこそ我《あ》が恋止《や》まめ　（巻十五　三六〇五）

↓海にそそぐ飾磨川（船場川）の流れは絶えることはないが、もし絶えることがあれば、そのとき貴女との恋は止むだろう。

姫路を描いた名作

『姿姫路清十郎物語』井原西鶴《いはらさいかく》　1686

姫路を描いたそのほかの名作

『乱菊物語』谷崎潤一郎
1930（昭和5）年作
室町末期の室津と家島が舞台の伝奇ロマン。

『宮本武蔵』吉川英治
1936（昭和11）～39（同14）年刊
この作品で剣豪・武蔵は国民的ヒーローとなった。

『遠い日の戦争』吉村昭
1978（昭和53）年刊
逃亡生活を送る戦犯は、姫路のマッチ工場で働き、つかの間の安らぎを得る。

『軍師の境遇』松本清張
1987（昭和62）年刊
卓越した才能ゆえに不運の境遇を味わう黒田官兵衛の皮肉な運命を描く。

『お夏清十郎』平岩弓枝
1993年刊
現代の舞踊家がお夏について調べるうち、一族の秘められた過去を知る。

（貞享3）年作

何事もしらぬが佛、おなつ清十郎がはかなくなりしとはしらず、とやかく物おもふ折ふし、里の童子《わらんべ》の袖引連《ひきつれ》て、「清十郎ころさばおなつもころせ」とうたひける。

『天守物語』泉《いずみ》 鏡花《きょうか》 1917（大正6）年作

あの其の筋道の分らない二三の丸、本丸、太閤丸、廓内、御家中の世間へなど、もうお歸りなさいますな。白銀、黄金、球、珊瑚、千石萬石の知行より、私が身を捧げます。腹を切らせる殿様のかはりに、私の心を差上げます。私の生命を上げませう。貴方お歸りなさいますな。

『暗夜行路』志賀《しが》直哉《なおや》 1921（大正10～37（昭和12）年作

それから、彼はお菊神社といふのに連れて行かれた。もう夜だつた。彼は歩いて暗い境内を只一ト廻りして、其処を出た。お菊虫といふ、お菊の怨霊の虫になつたものが、毎年秋の末になると境内の木の枝に下るといふやうな話を車夫がした。

『播州平野』宮本《みやもと》百合子《ゆりこ》 1947（昭和22）年刊

焼跡の大通りを、大分歩いて市庁の建物のあるところへ出た。ジープや大型トラックが、雨水をしぶかせて、城下町の通りを疾駆してゐる。M・P本部の玄関で若い白ヘルメットが、金色の長い睫毛を伏せるやうにして日本のヒメジの十月の雨脚を眺めてゐた。

活躍を続ける作家

池内 紀《おさむ》 1940（昭和15）年～ ドイツ文学者・エッセイスト。新在家生まれ。東京大学文学部教授を退官後、文筆家・翻訳家として活躍している。カフカやゲーテ作品の新訳や評論、恩地孝四郎らの人物評伝、ドイツ語圏の文化を綴ったエッセイなど、執筆範囲は多岐にわたる。

車谷 長吉《ちょうきつ》 1945（昭和20）年～ 作家。飾磨生まれ。20年あまり書き続けた私小説の作品集『鹽壺の匙』で芸術選奨文部大臣賞新人賞、三島由紀夫賞を受賞。『赤目四十八瀧心中未遂』で第119回直木賞を受賞。

『千姫春秋記』円地文子《えんちふみこ》 1966（昭和41）年刊

城下町から横関を通って、書写山の麓を帯のように続る夢前川の書写橋を渡り、更に険岨な山道を十八丁登ると、はじめて、書写山の仁王門に出る。

千姫の駕籠はところどころで休息しながら松や杉、槇などの生いしげる山道をゆるゆる登って行った。

「皿屋敷」桂 米朝

乙「わかってるてェ……、強情な女やなあ、おい。わかってて、何で十八枚もよみやがったんじゃい」

菊「明日の晩休みまんのや」

姫路ゆかりの文人

近代日本を代表する哲学者・和辻哲郎《わつじてつろう》

1889（明治22）～1960（昭和35）年

哲学者、倫理学者。仁豊野に生まれ、（旧制）姫路中学校で学ぶ。第一高等学校に首席で入学し、東京帝国大学文科大学哲学科へ。卒業後、西欧実存主義哲学の研究者として出発するが、奈良で古美術に触れ、東洋思想に関心を深めるとともに、日本人とは何かを考え始める。

人間の意識や行動を「人と人との間」の在り方に探り、独創的な文化哲学としての倫理学を完成させた。

幅広い視野と柔軟な感性、優れた芸術的直観をもち、練達の文章で紡ぎ出された著作は今も読み継がれている。代表作に『風土―人間学的考察』『倫理学』『孔子』『鎖国　日本の悲劇』『自叙伝の試み』などがあり、なかでも『古寺巡礼』は現在の仏像ブームの原点ともいえる永遠の

長谷川集平 1955（昭和30）年～ 絵本作家・ミュージシャン。材木町生まれ。自身も被害を受けた森永ヒ素ミルク中毒事件をテーマにした『はせがわくんきらいや』で第3回創作えほん新人賞を受賞しデビュー。現在は絵本にとどまらず小説、評論、翻訳、作詞作曲、演奏など幅広く活躍している。

和辻哲郎（＊1）

参照 **姫路文学館➡38頁**

ロングセラーとなっている。

『自叙伝の試み』 １９６１（昭和36）年刊

最晩年に書かれた未完の自叙伝。幼少期を過ごした村の風景が、深い思いをもって描かれている。故郷を流れる市川の河原石を書斎に置き、その小石を眺め、ときに手のひらの上で転がしながら執筆したといわれている。

戦後文学の旗手・椎《しい》名《な》麟《りん》三《ぞう》 １９１１（明治44）～７３（昭和48）年

小説家。書写に生まれる。村からただ一人、（旧制）姫路中学校に合格するが、14歳のときに学校を中退し、職を転々とする。18歳で宇治川電気電鉄部（現山陽電気鉄道）に入社、車掌となるが、共産党員として活動したことで検挙される。獄中でニーチェを読み衝撃を受け、転向。やがて文学の道へ進む。

敗戦の2年後、「深夜の酒宴」を発表。人間存在の意味を問う作家としてデビューし、問題作を次々に発表、第一次戦後派作家として不動の地位を獲得する。映画やラジオドラマの脚本も多く、戯曲も20本近く書き上げている。１９６３（昭和38）年に国宝姫路城復元完成を記念して上演された「姫山物語」では、シナリオだけでなく稽古場へ出向き熱心に演出指導を行った。主な作品は『永遠なる序章』『邂逅』『自由の彼方で』など。

『美しい女』 １９５５（昭和30）年刊

10代の終わりの約2年間、椎名は宇治川電気電鉄部の車掌を務めていた。この作品では車掌の仕事を離れてしまった自

椎名麟三（＊1）

そのほかの姫路ゆかりの文人

三上参次　歴史学者　１８６５（慶応元）～１９３９（昭和14）年

中村楽天　俳人　１８６５（慶応元）～１９３９（昭和14）年

井上通泰　歌人・国文学者　１８６６（慶応2）～１９４１（昭和16）年

岡本倶伎羅　歌人　１８７７（明治10）～１９０７（同40）年

辻善之助　歴史学者　１８７７（明治10）年～１９５５（昭和30）年

高浜二郎　歌人　１８８４（明治17）～１９６６（昭和41）年

分ではなく、最後まで勤め上げるという、椎名が生きられなかったもう一つの人生を描いている。

歴史小説を革新・司馬《しば》遼《りょう》太郎《たろう》 1923（大正12）〜96年

小説家。祖父の代まで広畑区に住んでいた。大阪外国語学校から学徒出陣で満州（現中国東北部）へ。戦後、新聞記者を経て作家となる。

忍者を書いた伝奇小説、剣豪や新選組などを題材とした時代小説から出発するが、空想に飽き足らなくなるにつれて、独自の小説形式を生み出していった。膨大な資料を渉猟し、歴史そのものに対する深い洞察と意外なエピソードを交差させ、歴史に新たな光を当てる姿勢は「司馬史観」と呼ばれ、戦後を代表する文学者となった。

代表作は『竜馬がゆく』『坂の上の雲』『翔ぶが如く』、『街道をゆく』シリーズなど。またテレビ出演、全集の刊行、歴史書の監修、文学賞の選考など活動は多岐にわたり、姫路での和辻哲郎文化賞の選考にも携わった。

『播磨灘物語』 1975（昭和50）年刊

智将・黒田官兵衛の半生を描いた官兵衛小説の最高峰。司馬の祖先の家系は播磨の守護赤松氏の流れに属し、官兵衛に敵対していたと伝わるが、その伝承が触媒となり、作品が書かれたという。

有本芳水 詩人・編集者 1886（明治19）〜1976（昭和51）年
五十嵐播水 俳人 1899（明治32）〜2000年
初井しづ枝 歌人 1900（明治33）〜76（昭和51）年
遠地輝武 詩人・美術評論家 1901（明治34）〜67（昭和42）年
阿部知二 小説家・英文学者 1903（明治36）〜73（昭和48）年
木山捷平 小説家・詩人 1904（明治37）〜68（昭和43）年
長尾　良 小説家 1915（大正4）〜72（昭和47）年
森　澄雄 俳人 1919（大正8）〜2010年
川口汐子 歌人・童話作家 1924（大正13）〜2011年
赤尾兜子 俳人 1925（大正14）〜81（昭和56）年

美術

姫路ゆかりの画家

姫路ゆかりの画家の特徴をひとくくりに語ることは難しいが、「中央画壇へ出て行った画家」「姫路を拠点にした画家」に分けることはできるだろう。

前者はいわゆる前衛的な傾向を持つ作家で、飯田操朗、山本敬輔、杉全 直らが挙げられる。活動の場を中央に求め、二科、独立などに所属し、常に時代の最先端にふれながら新しい表現を追求していった。

後者の代表的な作家は尾田 龍、森﨑伯霊、丸投三代吉の三人が挙げられるだろう。時代の流行に左右されず、地域の持つ特性をみつめ探究する姿勢を貫いた。ときには孤立し、もがき、悩みながら、独自の世界を切り開いた。

新井《あらい》完《たもつ》　１８８５（明治18）～１９６４（昭和39）年

五軒邸生まれ。（旧制）姫路中学校を卒業後、叔父を頼って上京し、東京美術学校西洋画科に入学。帝展で2度の特選を受けたが、１９３６（昭和11）年の帝展改組に反対し、以後中央画壇には一切出品しなかった。

飯田《いいだ》勇《いさみ》　１８９１（明治24）～１９６９（昭和44）年

下寺町生まれ。父の俊良が図画教師を務めていた（旧制）姫路中学校に学び、東京美術学校へ進学。卒業後は姫路に戻り、１９１７（大正６）年から姫路中学

参照 姫路市立美術館➡38頁

で美術の指導にあたる。戦後も福崎高等学校、賢明女子学院などで教え、郷土画壇の育成に尽力した。

飯田操朗《いいだみさお》　１９０８（明治41）～３６（昭和11）年

魚町生まれ。（旧制）姫路中学校を卒業後、上京。独立美術協会展に第１回展から出品を続け、第３回展で海南賞、第５回展で独立賞を受賞。太い輪郭線による力強い作風から激しい色彩で描くシュルレアリスムへと急速に移行した。結核のため28歳の若さで世を去った。

尾田龍《おだりゅう》　１９０６（明治39）～９２年

船津町生まれ。（旧制）姫路中学校を卒業後、東京美術学校西洋画科に入学。１９２９（昭和４）年の第１回国際美術協会展で国際美術協会賞を受賞。姫路で美術教師を務めるかたわら作家活動を続け、戦後すぐのキュビスムの影響を感じさせる作風から、富士製鐵（当時）の工場内の情景を取材した「鉄をつくる」連作にみられる表現主義的な激しい作風、晩年の重厚な風景画へと、画風は常に変貌を遂げた。

小野田實《おのだみのる》　１９３７（昭和12）～２００８年

満州生まれ。１９５８（昭和33）年より二紀展に出品。１９６５（同40）年、具体美術協会会員となり出品を続ける。その初期から「姫路アンデパンダン展」を組織するなど前衛的な視点のもとに活動を続け、「ネオ・アート展」を主宰するなど姫路を拠点に発表を続けた。

笠置季男《かさぎすえお》　１９０１（明治34）～６７（昭和42）年

豊沢町生まれ。１９２１（大正10）年、未来派美術協会第２回展で入選。３６（昭和11）年、二紀会の会員になる。戦前は具象的な作品を制作していたが、戦後、

飯田操朗「闘争」１９３４（昭和９）年／油彩・布／１３０.０×97.０㎝（＊２）

尾田　龍「鞆展望」１９８３（昭和58）年／油彩・布／90.９×72.７㎝（＊２）

抽象的作風に転じ、このジャンルのパイオニア的存在となった。野外彫刻でも先駆的役割を果たしている。

菅《すが》 創吉《そうきち》 １９０５（明治38）～８２（昭和57）年

魚町生まれ。高等小学校卒業後上京し、雑誌のカットや政治漫画などを描いていたが、１９５５（昭和30）年前後から本格的な絵画制作に打ち込み、東京や大阪の画廊でたびたび個展を開催。絵画だけでなく廃物を利用したオブジェも多く手がけた。いかなる美術団体にも属さず、独自の表現世界を切り開いた。

杉全《すぎまた》直《ただし》 １９１４（大正３）～１９９４年

東京大井町に生まれ、10歳で姫路へ。（旧制）姫路中学校を卒業後、東京美術学校油画科に入学、在学時からシュルレアリスムに関心を持つ。日本のモダンアートの発展と共に歩み、多摩美術大学、東京芸術大学などの教授を務め、後年は立体作品を数多く発表した。

高橋《たかはし》玄輝《げんき》 １９１０（明治43）～７８（昭和53）年

野里生まれ。父の太吉は虎の図を得意とした日本画家。（旧制）姫路中学校を卒業後、京都に移り前田青邨門下となり、以後京都の地を離れなかった。素朴な画風で日本古代の人物を表現し、独自の境地を切り開いた。

永井《ながい》一正《かずまさ》 １９２９（昭和４）年～

大阪市生まれ。戦災により両親の故郷姫路に疎開し、姫路西高等学校で尾田龍に学ぶ。東京芸術大学美術学部彫刻科を中退して入社した紡績会社の広告宣伝の仕事により、グラフィックデザイナーの道を歩み始める。

中村《なかむら》忠二《ちゅうじ》 １８９８（明治31）～１９７５（昭和50）年

御立生まれ。小学校を卒業後、電信通信術を取得し郵便局に勤務する。次第に芸術への憧れを深め、1918（大正7）年に上京、翌年日本美術学校に入るが、貧困のためまもなく退学。その後独学で絵を学び、展覧会に出品し個展も多く開いたが、生前はほとんど無名に近かった。

浜田《はまだ》観《かん》　1898（明治31）～1985（昭和60）年

手柄生まれ。1929（昭和4）年、京都に移り竹内栖鳳に師事。京都市立絵画専門学校在学中に帝展初入選。戦後は日展を中心に活躍し、64（同39）年に日本芸術院賞受賞。花鳥画を得意とし、東洋的な幽玄味のある絵画世界を創出した。

丸投《まるなげ》三《み》代吉《よきち》　1911（明治44）～91年

広畑区生まれ。幼い頃に両親を失い貧困のなか独学で絵を学び、美人画や肖像画などを描いて生活の糧とした。1958（昭和33）年、再興第43回日本美術院展で初入選。童心に満ちあふれた楽しい絵を描くことを信念とした。郷土の自然や風物、そこに暮らす人々、生きる喜びや夢を豊かな彩色、自由闊達な筆致で描き、人間味あふれる力強い作風を展開した。

森﨑《もりさき》伯霊《はくれい》　1899（明治32）～1992年

飾磨区生まれ。義務教育終了後、次第に絵画へ興味を示す。1919（大正8）年、本格的に学ぶべく京都に出るが良き師に巡り合えず、2～3年の間京都と姫路を行き来しながら勉強を続ける。その後は姫路で農業のかたわら絵筆をとり、日本美術院を中心に出品を続けて独自の画風を構築した。姫路周辺の風景を描いた「河鹿なく里」（1970・昭和45年）

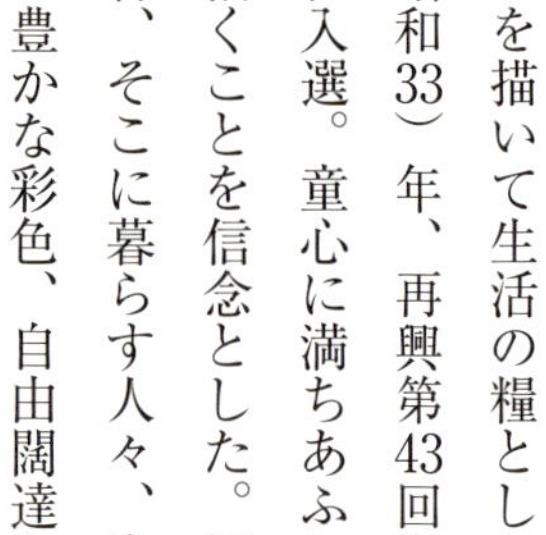

丸投三代吉「七本煙突」1969（昭和44）年／紙本着色（額装）／167・5×198・0㎝（＊2）

など、郷土を題材にした牧歌的な作品を多く描いた。

山本敬輔《やまもとけいすけ》　1911（明治44）～63（昭和38）年

豆腐町生まれ。代々姫路藩の御典医の家系で、（旧制）姫路中学校から姫路高等学校理科乙類へ進んだが、芸術への憧れが捨てられず中退。1930（昭和5）年頃上京し、第21回二科展で初入選。その後「黒色洋画会」「絶対象派協会」「二科九室会」など次々と新しいグループを結成。戦前のシュルレアリスム的作品から純粋抽象を経て、戦後はピカソに傾倒した。

姫路城を描いた作品

城郭建築の最高傑作とされる姫路城。その優美な姿に魅了され、多くの画家が絵筆をとった。

江戸末期頃の姫路城は荒れ果てた状態、明治には城とその周辺が軍の管理下に置かれ、一般客が立ち入ることはできなかった。修理がなされ、一般客の登閣が許可されるようになった明治末期頃から、姫路城をモチーフとした作品が徐々に増えていく。1956（昭和31）年からの「昭和の大修理」は10年近く城の全体がみられなくなる計画だったため、多くの画家が修理前に姫路を訪れた。素屋根で大天守が覆われた姿や、天守閣が消えた姿を想像して描いた画家もいた。

「城」という同じモチーフだが、作家の捉え方はさまざまで、油彩、日本画、版画など、技法もさまざまに描かれた。

「白鷺城の一角」小山敬三《こやまけいぞう》

フランス留学から帰国後まもなく姫路

山本敬輔「80－X－38」1938（昭和13）年／油彩・布／145・0×96・8㎝（＊2）

小山敬三　1897（明治30）～1987（昭和62）年

「白鷺城の一角」のほかにも「白鷺城」（1956年）、「古城一隅」（1958年）、「初夏の白鷺城」（1960年、1974年）、「雨季の白鷺城」（1976年）などを描いている。

「白鷺城の一角」小山敬三／1933（昭和8）年頃作／油彩・布／130・3×81・3㎝（＊2）

を訪れた小山敬三は城の美しさに感動し、さまざまな角度から姫路城を描いた。当時の姫路城はまだ訪れる人が少なく、制作に没頭することができたという。

「白鷺城を想う」池田遙邨

池田遙邨は兵役除隊後、父の仕事の関係でしばらく姫路に住んでいた。その後も、実家が姫路にあったこともあり、姫路に対する思い入れは深かったようで、姫路城を描いた画家としてゆかりが深い。姫路在住時代のスケッチも多く残している。代表作「白鷺城を想う」は、周りの風景を描かず、宙に浮かび上がったような天守閣の姿が幻想的で、屋根の反り具合が誇張して描かれているのもユーモラスな趣きがある。

「白鷺城を想う」池田遙邨／1948（昭和23）年作／紙本着色／108.0×125.0㎝（＊2）

池田遙邨　1895（明治28）〜1988（昭和63）年

榎倉省吾　1901（明治34）〜77（昭和52）年

川瀬巴水　1883（明治16）〜1957（昭和32）年

そのほかの作品

（＊は姫路ゆかりの画家）

「白鷺城」朝見香城《あさみこうじょう》　1954年作

「白鷺城」飯田勇＊　不詳

「姫路城」飯田俊良《いいだとしよし》　明治中期作

「真柴久吉公播州姫路城郭築之図」歌川貞秀《うたがわさだひで》　1862年作

「白鷺城」岡鹿之助《おかしかのすけ》　1942年作

「城」奥村土牛《おくむらとぎゅう》　1955年作

「姫路城」小野勉《おのつとむ》　1962年作

「秋（白鷺城解体）」榎倉省吾《えのくらしょうご》／1958（昭和33）年作／姫路市立美術館蔵

「昭和の大修理」の様子を描いた作品で、右上に素屋根ですっぽりと覆われた大天守、中央から左には建材用のスロープがある。手前には動物園の遊具とキリンの姿を描き込んでおり、城と人々の日常というユニークな対比がみられる。

「白鷺城」川瀬巴水《かわせはすい》

「白鷺城」川瀬巴水／1948（昭和23）年作／木版・紙／36・3×24・2cm（＊2）

薄暮の姫路城を描いており、色づかいが涼しげである。

「播磨路」丸投三代吉

作品名のとおり、播磨の歴史や自然が画面に凝縮されている。

「播磨路」丸投三代吉／1989年作／紙本着色／166.0×197.0cm　姫路市城郭研究室蔵

「姫路城」川瀬巴水　1936年頃作
「城の春」川西　英《かわにしひで》　1947年作
「白鷺」川西祐三郎《かわにしゆうざぶろう》　1978年作
「新人国記（姫路城）」小磯良平《こいそりょうへい》　1962年頃作
「白鷺城」児島虎次郎《こじまとらじろう》　1917年作
「姫路城」清水登之《しみずとし》　1936年作
「真夏の白鷺城」須田国太郎《すだくにたろう》　1947年作
「白鷺城」都路華香《つじかこう》　1919年作
「姫路市制100周年シンボルマーク」永井一正＊　1988年作
「姫路城」平山郁夫《ひらやまいくお》　1994年作
「姫路城」吉田　博《よしだひろし》　1926年作
「姫路城」和田三造《わださんぞう》　不詳

映画

ショーン・コネリー主演の「007は二度死ぬ」（1967・昭和42年）をはじめ、姫路ではこれまで、多くの映画が撮影されている。姫路城、書寫山圓教寺といった歴史的建造物はもちろん、明治から大正にかけて建てられた木造の洋館やレンガ造りの建築物、工場夜景スポットとして注目を集めている工業地帯まで、あらゆるシーンに対応できることがその理由だろう。

2001年9月には、姫路市や姫路商工会議所など5団体が「姫路フィルムコミッション」を設立。ロケーション撮影に関するさまざまな支援を行っている。

姫路で撮影された主な映画

姫路城

400年以上の時を経てなお築城当時の姿を保っている姫路城は、天守閣はもちろん、門、櫓、石垣など、城内すべてがロケ地と言えるだろう。黒澤明、山田

「大奥」のワンシーン（＊3）

姫路フィルムコミッション
姫路市や姫路商工会議所など5団体で、2001年に設立した非営利団体。映画やテレビ、CMなどのロケーション撮影を姫路地域に誘致し、撮影が円滑に進むよう支援を統括する。内容は、ロケ相談、撮影地紹介、ロケハン支援、撮影許可支援、宿泊施設等の紹介、ロケ当日の支援、エキストラの募集など広範にわたる。

洋次といった昭和を代表する名監督も撮影に訪れている。

「大奥」 2006年

西の丸に宴の席のセットが組まれ、主演の仲間由紀恵ら豪華女優陣が勢揃いした。「大奥〜永遠〜『右衛門佐・綱吉篇』」（2012年）でも姫路城でロケが行われている。

「憑神」 2007年

妻夫木聡演じる将軍の影武者の出立シーンが「ろの門」で撮影された。

「天地明察」 2012年

主人公の安井算哲（岡田准一）が江戸城内の職場へ走っていくシーンが「はの門」奥で、駕籠で登城する武士たちで渋滞している朝のシーンが大手門で撮影された。

好古園

姫路城に隣接する約1万坪の日本庭園。武家屋敷の遺構を生かして作庭された。趣の異なる9つの庭で構成され、それぞれの入口には長屋門、屋敷門などが再現されている。

「TAJOMARU」 2009年

「TAJOMARU」の撮影現場（＊3）

姫路市内で撮影された他の主な映画

●姫路城
「女の園」1954年
「宮本武蔵」1961年
「007は2度死ぬ」1967年
「柳生一族の陰謀」1978年
「赤穂城断絶」1978年
「影武者」1980年
「将軍 SHOGUN」1980年
「乱」1985年
「江戸城大乱」1991年
「兜 KABUTO」1991年
「福沢諭吉」1991年
「天守物語」1995年
「必殺！ 主水死す」1996年
「梟の城」1999年
「隠し剣 鬼の爪」2004年
「椿三十郎」2007年
「雷桜」2011年
●姫路市内
「トラック野郎 爆走一番星」1975年
「夢千代日記」1985年

小栗旬演じる盗賊・多襄丸の幼少時代の撮影が、長屋門の前で行われた。

「るろうに剣心」２０１２年

築地塀前で、倒幕派の暗殺者・緋村剣心（佐藤健）が幕臣を殺害するアクションシーンを撮影した。

書寫山圓教寺

千年以上もの歴史を持つ古刹。西の比叡山とも呼ばれる天台宗の別格本山で、山上全体が境内となる。摩尼殿や大講堂、常行堂などの荘厳な建築群と、自然のままの深い森が圧巻。

「ラストサムライ」２００３年

護法堂と開山堂がある奥之院で、雪のシーンの撮影が行われた。映画の中ではほんの10秒ほどのシーンだが、準備には1週間もかかったという。本多家廟所は、

「ラストサムライ」で勝元の屋敷となった本多家廟所（＊3）

渡辺謙演じる勝元の屋敷として撮影された。また、トム・クルーズが撮影所近くの十地院にテレビやソファ、ベッドなどを持ち込み、休憩所として利用したことから、十地院は通称「トム'Sハウス」と呼ばれていた。

「源氏物語 千年の謎」２０１１年

三之堂での撮影は、夜を徹して2日間

●関西電力姫路第一発電所（※現在はない）

「リターナー」２００２年

●祝田神社 ほか

「風のファイター」２００４年

●ＪＲ姫路駅

「透光の樹」２００４年

●その他

「火垂るの墓」２００８年　清瀬邸

「斜陽」２００９年　割烹旅館志みず ほか

「死にゆく妻との旅路」２０１１年　家老屋敷跡公園 ほか

「ルパンの奇岩城」２０１１年　姫路市立美術館 ほか

「夏の終り」２０１３年　兵庫県立大学姫路新在家キャンパス ゆりの木会館

続いた。藤原道長（東山紀之）、安倍晴明（窪塚洋介）らによる幽玄かつ迫力満点のアクションシーンなどが撮影された。

「**天地明察**」２０１２年

食堂・常行堂で、安井算哲（岡田准一）と宮栖川共磨（市川染五郎）が碁を打つシーンが撮影された。この場面では地元のエキストラが多く登場している。

圓教寺での「天地明察」撮影の様子（＊３）

ドラマの舞台にも

映画だけでなく、姫路はＮＨＫ大河ドラマなど数多くのドラマのロケ地にもなっている。テレビ朝日「暴れん坊将軍」は〝常連〟で、姫路城の「はの門」へ続く坂は別名「将軍坂」とも呼ばれている。

姫路城

テレビ朝日「暴れん坊将軍」、ＮＨＫ大河ドラマ「武蔵」

好古園

ＴＢＳ「大岡越前」、ＴＢＳ「水戸黄門」、テレビ朝日「暴れん坊将軍」、フジテレビ「大奥」シリーズ、テレビ東京系「天下騒乱 徳川三代の陰謀」

書寫山圓教寺

ＮＨＫ大河ドラマ「武蔵」

姫路市立動物園

ＮＨＫ連続テレビ小説「てるてる家族」

亀山御坊本徳寺

ＮＨＫ大河ドラマ「新選組！」、フジ

姫路市立美術館では「ルパンの奇岩城」を撮影（＊５）

亀山御坊本徳寺で撮影されたＮＨＫ大河ドラマ「新選組！」（＊５）

テレビ「女信長」

姫路ゆかりの映画人

和田夏十《わだなっと》　1920（大正9）～83（昭和58）年　脚本家

姫路市生まれ。東宝撮影所に通訳として勤務していたころ、当時助監督だった市川崑と出会い、2年後に結婚。「ビルマの竪琴」（1956年）でシナリオ賞を受賞。代表作に「野火」（1959年）、「黒い十人の女」（1961年）、「破戒」（1962年）などがある。本名は市川由美子（旧姓は茂木）。

浦山桐郎《うらやまきりお》　1930（昭和5）～85（同60）年　映画監督

相生市に生まれ、（旧制）姫路高校の映画部に所属した。同級生に、同じく映画監督の川崎徹広、須川栄三がいる。代表作に吉永小百合主演の「キューポラのある街」（1962年）、「夢千代日記」（1985年）などがあり、昭和を代表する監督のひとり。

鄭　義信《チョンウィシン》　1957（昭和32）年～　脚本家

姫路市生まれ。「月はどっちに出ている」（1993年）、「愛を乞うひと」（1998年）、「血と骨」（2004年）でキネマ旬報脚本賞、日本アカデミー賞優秀脚本賞などを受賞。ほかにも「OUT」（2002年）、「信さん・炭鉱町のセレナーデ」（2010年）などを手がけている。劇作家、演出家としても活躍中。

他の姫路ゆかりの作家と映画

椎名麟三（脚本）「煙突の見える場所」1953年、「愛と死の谷間」1954年

阿部知二（原作）「街」1939年、「光と影」1940年、「朝霧」1955年

川口汐子（原作）「二つのハーモニカ」1976年

車谷長吉（原作）「赤目四十八瀧心中未遂」2004年

姫路の食

前どれの味わい

姫路の名産品は数多いが、特筆すべきは前どれの魚介類だろう。瀬戸内海には太平洋の強い海流が流れ込んでいるが、播磨灘は波が穏やかで、多くの魚が集まり回遊する良質の漁場となっている。ほどよく身が締まり味の良い魚介類が豊富に水揚げされており、姫路の漁獲高は県内2位。新鮮な素材を造りや煮付け、鍋物などで一年中味わうことができる。魚介類を使った料理のうち、代表的なものを紹介しよう。

桟敷料理

秋に行われる灘のけんか祭りでは、観客は練り場の周りに設けられた桟敷席から見物する。そこで出される料理が「桟敷料理」。地元でとれる野菜の煮しめのほか、松茸、茹でたシャコやワタリガニ、コノシロの押し寿司などを重箱に詰める。

アナゴ料理

播磨灘は全国有数のアナゴの産地で、旬は夏だが、年間を通して安定した水揚げ量がある。定番は焼きアナゴ。そのまま食べたり、ちらし寿司に乗せたり、茶わん蒸しの具に加えたり。ほかにも天ぷらや箱寿司、鍋料理などでも味わえる。

イカナゴのくぎ煮

イカナゴの新子漁が解禁になると、店には大量の新子が並ぶ。くぎ煮のレシピやおすそわけ用の容器、みりんや醤油な

ヤマサ蒲鉾　かまぼこ体験工房
体験内容：かまぼこ・ちくわ作り
開催時間：9、10、11、13、14、15時
所要時間：製作1時間＋蒸し上がりまで1時間
定休日：火曜日
定員：1人から50人まで
体験料：1500円
要予約
ヤマサ蒲鉾 かまぼこ工房夢鮮館
夢前町置本327-16
☎079・335・1055

どが一緒に並ぶ店もあり、開店と同時に売り切れることも珍しくない。今や春の風物詩のひとつとなっている。

干《ひ》ガレ弁当

家島町で昔から作られている家庭料理。干したカレイを軽く叩いて炙り、頭を落として丁寧に開いて骨を取り除き、砂糖醤油のタレにつけ込んだものを、炊きたてのご飯に挟み、上にも乗せる。中播磨県民局「兵庫ふるさと料理100選」に選ばれている。

干ガレ弁当（＊4）

カマボコ

古くからカマボコはごちそうで、今もおせち料理に欠かせないのはその名残だろう。農林水産祭「天皇杯」など数多い栄誉に輝くハトヤ、カニ風味カマボコを国内で初めて考案したとされるヤマサ蒲鉾などのメーカーがある。

庶民の味わい

姫路おでん

姫路とその周辺の家庭では、ダシで煮込んだおでんの具材をしょうが醤油につけて食べることが多い。しょうが醤油は、濃口醤油にすりおろした土しょうがを入れたもので、みりんや日本酒を加えるなど各家庭ごとのアレンジがある。

この食べかたが地域独特の食文化であ

ハトヤ　かまぼこ手造り体験教室

体験内容：かまぼこ造り、ちくわ手巻き
開催期間：1月8日から11月30日
開催時間：9時～12時
所要時間：1時間30分程度
定休日：日曜日、隔週水曜日
定員：1人から20人まで
体験料：1500円
1週間前までに要予約
ハトヤ
姫路市北条口5-8
☎079・222・8108

ると発見した有志が2006年に「姫路おでん探検隊」を結成、「姫路おでん」と命名した。定義は「具材を小皿にとり、たっぷりとしょうが醤油をかける」「しょうが醤油を小皿に入れ、具材をつけて食べる」とした。

ルーツは諸説あるが、具材が豊富に手に入ること、醤油の名産地が近いことに加え、浜手地域でしょうがの栽培が盛んだったことから、昭和初期、姫路の浜手地域で、しょうが醤油で味を整えておでんを食べたのが始まりとされている。

おでんを際立たせるしょうが醤油（＊4）

その後、姫路おでん普及委員会が誕生し、姫路おでんを食べられる市内の店を紹介するガイドマップを作成している。

歌もできた。「姫路おでんジャー」というPR隊と、そのテーマ曲もある。イメージキャラクターは「しょうちゃん」。

2008年、B級ご当地グルメの祭典「第3回B－1グランプリ久留米大会」

大賑わいとなったB-1グランプリ姫路大会（神戸新聞提供）

姫路おでんのキャラクター「しょうちゃん」（姫路おでん協同組合提供）

第6回B－1グランプリ姫路大会
2011年11月12日・13日、北海道から九州の63団体が出店し、2日間で51万5千人が会場を訪れた。

に姫路おでんが初参加。その縁で「第6回B-1グランプリ」が2011年に姫路で開催された。

えきそば

黄色い麺に、和風出汁。市外の人々にとっては珍しい組み合わせだが、姫路市民にとってはすっかりおなじみだろう。1949（昭和24）年にまねき食品が販売を始めた「えきそば」は、戦後の混乱のなかで生まれた。統制品だった小麦粉の代わりにこんにゃく粉とそば粉を混ぜ、うどんのような麺を作ったが、伸びやすく風味が落ちやすい。試作を重ね、かんすいを加えた黄色い麺が完成した。当時は焼きものの丼で提供しており、食べ終わった後は持ち帰ることができた。

JR姫路駅では、上りホームの店は午前中、下りホームは夕方から夜にかけて混雑する。どこのホームでも、いつでも変わらない味を提供できるよう、出汁を注ぎ足すタイミングと火力の調整には細心の注意を払っているという。さっと麺をゆがき、丼に入れて出汁を注ぎ、具材を乗せる。調理時間は約20秒、ベテランなら15秒。一方、客は、まだ湯気の立ちのぼる丼を後に素早く立ち去るのが「粋」な食べかただという。1日に約5千食を売り上げる。

えきそば

参照 まねき食品➡148頁

カップ麺「まねきのえきそば」

姫路えきそばの人気に注目した日清食品がカップ麺を発売している。根強い支持がある一方で、まねき食品には「本物と違う」「ファンとして情けない」との意見もあるという。

菓子

歴史のある都市には良い菓子があるといわれ、菓子は文化の指標ともいえる。姫路でも城下町が栄えるにつれて菓子が発展していった。

姫路で行われた茶会記録で最も古いものは1581（天正9）年と1982（同10）年の2件で、羽柴秀吉が姫路城で催したものとされる。

江戸時代に入ると諸大名が教養として茶の湯をたしなみ、姫路城下でも江戸後期から茶道具とともに菓子が発展、普及していった。

江戸期後半に姫路藩主を務めた酒井家の歴代当主はいずれも風流人、教養人で、茶の湯を好んだ。なかでも1772（安永元）年、18歳で藩主になった酒井宗雅《そうが》（忠以《ただざね》）は茶道史に必ず取り上げられるほど重要な人物で、茶人として名高い松江藩主・松平不昧《ふまい》との交流で茶を学んだ大名茶人として知られている。

宗雅が残した「逾好日記」には1787（天明7）年正月から約3年の間に催された179回におよぶ茶会の日時や場所、料理の内容が詳しく記されており、「しほせんべい」「つまみやうかん」「おほろまんちう」などさまざまな菓子の名もみられ、この当時すでに優れた菓子がつくられていたことが分かる。この「逾好日記」は姫路市で保管されている。

輿入れの祝い菓子

姫路の菓子文化をさらに発展させ

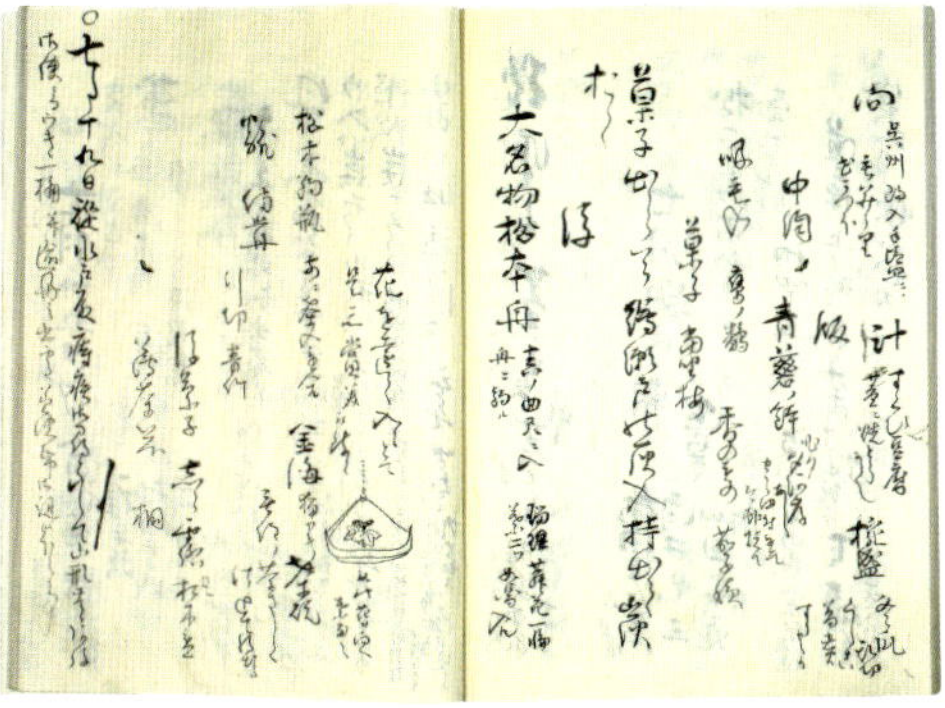

酒井宗雅が記した「逾好日記」（姫路市立城郭研究室提供）

伊勢屋に伝わる河合寸翁の書（＊4）

た人物が、姫路藩家老の河合道臣（寸翁）である。1808（文化5）年、寸翁は酒井忠道《ただひろ》の命で、姫路藩の財政改革に着手。特産品であった木綿を専売化するなど産業振興を図った。そのひとつに菓子づくりの奨励があった。

「伊勢屋本店」の創業は1702（元禄15）年。当時は姫路城の正門筋にあたる中の門前に店を構えていたとされる。寸翁は5代目伊勢屋新右衛門を徳川家御用達の江戸の菓子司のひとつで幕府の婚礼菓子を扱う「金沢丹後」へ派遣し、菓子づくりの技術を習得させた。

1832（天保3）年、酒井忠学《ただのり》と11代将軍徳川家斉の娘喜代姫との婚礼の儀が執り行われた際、寸翁に命じられ新右衛門がつくりあげた祝い菓子が「玉椿」だと伝わる。「玉椿」は国が指定する「地方保存銘菓」の県内一号に選ばれたほか、1961（昭和36）年には全国菓子産業博覧会で名誉総裁賞に選ばれている。

卵を使った黄身餡を薄紅色の求肥で包み、粉糖をまぶした菓子。今も伊勢屋本店には寸翁の書といわれる「玉椿香」の額が残る。

欧州伝来の油菓子

姫路を代表するもうひとつの菓子が

杵屋「和菓子づくり体験」
和菓子職人の指導で、季節ごとの上生菓子3種類をつくる。
会場：杵屋二階町本店ほか
開催時間：13時～／15時～
所要時間：約40分
参加費：1500円（杵屋で使える500円券付き）
当日午前中までに要予約。6～40人で開催
杵屋「和菓子づくり体験係」
☎079・267・2333
（9～18時）

播産館《ばんさんかん》
姫路をはじめ西播磨地域の特産・名産が勢ぞろい。町の案内マップやイベント情報も入手できる観光の拠点。
南駅前町123番じばさんびる1階
☎079・289・2835

「かりんとう」である。

かりんとう誕生の背景にも、河合寸翁がいた。藩内で生産される良質の小麦粉、菜種油、砂糖（甘薯）を用いた菓子づくりを行うため、長崎に菓子職人を派遣。ポルトガルやオランダから伝えられた油菓子の製造技術を習得させたと伝わる。

船場本徳寺の門前町にあたる博労町には、昭和初期まで数十軒もの油菓子屋が軒を連ねていたという記録が残る。戦災によりほぼ焼失したが、現在も金岡製菓ほかが昔ながらの製法でつくり続けている。また船津町では常盤堂製菓が創業。「奉天」「ねじり」などのかりんとうは「播州駄菓子」として全国に知られている。

姫路が誇る銘菓いろいろ

ほかにも多くの銘菓が生まれている。機織りの絹の布地を木槌で打つ様子をもとにつくられた「きぬた」（杵屋）、「お夏清十郎」の悲恋物語をもとにした民謡・菅笠節（お夏清十郎節）から菅笠の形につくられた「清十郎もなか」（御菓子司松屋）。池田輝政にちなんだ菓子はいくつかあり、揚羽蝶の家紋をかたどった姫路城の瓦と同じサイズにつくられる「三左衛門」（高砂屋）、「五拾萬石」（白鷺陣屋）などがある。

パリッとした皮に北海道産の小豆と手亡を使用した餡がたっぷり詰まった回転焼の「御座候」（御座候）、古くから養鶏の盛んな夢前町で卵がまだご馳走だった昭和30年代からつくられている「卵せんべい」（夢前卵せんべい）も、長く親しまれている菓子である。

御座候あずきミュージアム

2009年にオープン。建物の外観はあずき色をしている。身近なあずき食品や、北海道・十勝で行われるあずき栽培の方法、世界の豆類やあずきのルーツなどを紹介。実に20年もの歳月を費やして研究した成果を、豊富な映像資料やジオラマとともに紹介している。

阿保甲611-1
☎079・282・2380
開館時間：10～17時（最終入館は16時）
入館料：一般1200円、小中学生600円
休館日：火曜日、年末年始、設備点検日

あずきミュージアムの展示（＊4）

「姫路菓子博２００８」開催

２００８年春、全国からさまざまな菓子が集まる「全国菓子大博覧会」が「姫路菓子博２００８」として開催された。テーマは「姫路城で花開く　平成の菓子文化」。東御屋敷跡公園からシロトピア記念公園にかけて姫路城を囲むように大型パビリオンが設置されたほか、姫路市立美術館や兵庫県立歴史博物館も会場となった。日本全国から集まった銘菓の製造実演や販売が行われたほか、姫路からは伊勢屋本店をはじめ小川堂安芸国、ゑびす屋、御菓子司　橘屋ほかが工芸菓子を出展した。目玉のひとつとなったのが和洋工芸菓子「姫路城　白鷺の夢」。50分の1のサイズの姫路城と約２００人の大名行列は洋菓子で、庭園と白鷺は和菓子で作られた。姫路城の細工に関しては宮大工に指導を仰ぎ本物そっくりの造りになったほか、石垣も見事に再現された。

　4月18日～5月11日の24日間に約92万人が来場した。

約92万人が訪れた姫路菓子博
（神戸新聞提供）

姫路菓子博に出品された工芸菓子
（神戸新聞提供）

全国菓子大博覧会
全国からさまざまな菓子が集まるこの博覧会は、１９１１（明治44）年に東京・赤坂で「第1回帝国菓子飴大品評会」として開かれたのが始まりで、4～5年ごとに各地で開催されている。２００８年は、姫路城の築城４００年・世界文化遺産登録15周年という、姫路にとって節目の年。近畿で54年ぶり、県庁所在地以外では初めての開催だった。工芸菓子「姫路城 白鷺の夢」は、幅5・3m、奥行き4・3m、高さ1・7m。イーグレひめじ1階アトリウムに展示されている。

地酒

播州平野は「酒米の王様」と呼ばれる「山田錦」の生産量日本一を誇る。古くから酒米として使用されてきた「山田穂」を交配し、品種改良と研究を重ねてつくられた酒造米で、全国一の品質とされる。

古くから播磨は全国有数の大国で、酒などの特産品生産が盛んな地域だった。奈良時代に編纂された『播磨国風土記』に酒造りの記述が初めてみられることから、早くからこの地で日本酒をつくっていたことがわかる。気候が温暖であること、鉄分の少ない伏流水に恵まれていたこと、優れた技術を受け継ぐ杜氏がいたことが地酒発展の理由に挙げられている。

江戸時代に現在の酒造りの基盤がつくられたとされており、姫路でも城下町を中心に多くの酒蔵が誕生した。今は江戸時代の創業を含む7つの蔵元があり、伝統を守りつつ独自の路線を開拓するなど特徴ある酒造りを行っている。

壺坂酒造の酒蔵（須川真也撮影）

自然に委ねた酒造り

約400年前に神崎郡で酒造りを始め

壺坂酒造株式会社
夢前町前之庄1418-1
☎079·336·0010

ヤヱガキ酒造株式会社
林田町六九谷681
☎079·268·8080

株式会社本田商店
網干区高田361-1
☎079·273·0151

田中酒造場
広畑区本町3-583
☎079·236·0006

名城酒造株式会社
豊富町豊富2222-5
☎079·264·0181

下村酒造店
安富町安志957
☎0790·66·2004

灘菊酒造株式会社
手柄1-121
☎079·285·3111

た「壺坂酒造」は1805（文化2）年に夢前町に酒蔵を移し、200年余りの時を刻んだ酒蔵で今も酒造りを行う。蔵に空調機器を置かず、入口の扉の開閉だけで室温管理を行うといった、気候風土に酒造りのすべてを委ねる自然発酵を実践している。

1884（明治17）年創業の「下村酒造店」では、家訓の「手造りに秀でる技はなし」を頑なに守り、全ての工程を人の手で行っている。最高級の原料を使い、最高品質の酒を造っているという自負から、雑味や色を取り除くための濾過作業を省略。タンクではなく瓶で貯蔵するのも特徴だ。

蒸米をほぐす作業
（下村酒造店提供）

手間と時間を惜しまず

1666（寛文6）年創業の「ヤヱガキ酒造」は、1973（昭和48）年、「量から質」へと方向転換した。「万人に飲まれる酒ではなく、万人の一人に飲まれる酒を」をモットーとし、蓋麹法と呼ばれる古来の技を取り入れ、機械に真似のできない個性ある酒を醸している。

市内6つの蔵が合併して1966（同41）年に誕生した「名城酒造」は最新設備の導入、仕込みタンクなどのコンピュータ管理により年間一升瓶70万本分の清酒を生産しているが、米麹をつくる

都市景観重要建築物に指定されたヤヱガキ酒造（須川真也撮影）

名城酒造の自動蒸し機

麹室に広げられた蒸米（本田商店提供）

作業だけは手造りを貫き、純米酒以上は箱麹法をとっている。

最高の酒を求めて

元禄年間（1688〜1704年）より播州杜氏の総取締役として酒造りに関わってきた「本田商店」では、昭和40年代半ばから当時では珍しい吟醸酒造りに取り組み、なかでも大吟醸酒造りに情熱を注ぐ。「おいしい酒造りは米選びから」と、山田錦の最高級品・特Aを使用。搾りの工程では、醪を袋詰めにし、自然に酒がしたたり落ちる「袋搾り」の手法をとっている。「龍力」のブランド名で広く知られている。

究極の精米歩合に挑むのは1835（天保6）年創業の「田中酒造場」。明治から大正にかけて良質米として知られていた「亀の尾」の中心部をたった1割残す精米に成功し、2010年、純米大吟醸酒「亀の甲 寿亀神韻」を完成させた。

本田商店、田中酒造場ともに、吟醸酒の登竜門ともいわれる「全国新酒鑑評会」で金賞受賞の常連となっている。

田中酒造場の石掛け式天秤搾りの石
（須川真也撮影）

観光スポットとなった酒蔵

明治から昭和にかけての酒蔵の風情を色濃く残す「灘菊酒造」。現在は鉄筋の「甲蔵《きのえぐら》」で酒造りを行っており、関西初の女性杜氏が酒を醸している。

約3千坪の敷地に1910（明治43）年創業当時の木造の蔵がいくつも残っていることから、敷地内の前蔵などを一般開放し、昔ながらの道具を紹介する酒蔵見学の受け入れを行っている。西蔵など3カ所を食事処にリニューアルしたほか、販売所「杜氏さんの自慢蔵」に灘菊酒造の全ての銘柄を揃えている（試飲可）。姫路の観光スポットの一つとして、多くの観光客が訪れる。

酒蔵見学　灘菊酒造株式会社
受付時間：9時～17時
開場時間：10時～18時（最終入場は17時）
所要時間：15～20分程度
入場料：無料
団体見学は300人まで可、事前予約受付可、英語対応の見学も可
休業日：12月31日～1月3日
☎079・285・3111

工程を追って酒蔵毎に見学ができる灘菊酒造（須川真也撮影）

歴史を語る「ご当地ソング」

全国ほとんどの自治体にシンボルソングがあるように、姫路市には公式の「市歌」に加え、地方色豊かなご当地ソングも多数存在する。正確に言えば、歴史の節目ごとに「記念の歌」が創作されては消えていき、現在まで生き永らえている歌は、極めて少ないのが現状である。しかし、見方を変えると、残されたご当地ソングを振り返れば、姫路市民が関心を寄せた事柄をたどることができる。

レコードが全国的に普及した昭和初期以降「地域の歌」は、まさに時代を高らかに歌う生き証人でもあった。主要な作品を古い順に並べると、播磨蓄音器商組合が募集し、１９３３（昭和8）年に発売した「播磨小唄」「国宝白鷺城」以来、事あるごとに新しい歌が創作され、ちょうど80年後の２０１３年の黒田官兵衛にちなむ歌まで連綿と続く。

戦前では、１９３４（同9）年に在姫路記者団が募集した「第十師団凱旋歓迎歌」と「凱旋音頭」が目を引くが、２年後の「姫路をどり」と「姫津双六《ひめつすごろく》」は１９３６年に現ＪＲ姫新線が姫津線の名で開通した際、姫津線全通記念事業協会なる団体が制定したもので、質店を経営する傍ら戦後も活躍した姫路の詩人・大塚徹が早くも「姫津双六」の作詞をしている。

戦後は文字通り「姫路復興音頭」で幕を開け、１９５３（同28）年には「三ツ山音頭」が、20年ごとの播磨国総社での大祭をＰＲ。姫路城の大修理に当たっては神戸新聞社選定・姫路観光協会推奨と銘打ち、天守解体記念の歌「瞼の城」と「お城恋しや」が誕生するが、大塚が「三ツ山音頭」と「お城恋しや」でも立て続けに詞を書き、気を吐いているのが注目される。大改修が終わった１９６６（同41）年には、手柄山公園に至るモノレールが話題を呼んだ姫路大博覧会を盛り上げる「姫路博音頭」が登場した。

近年では、２００８年の姫路菓子博に伴うテーマソング『We Love Sweets』辺りから曲調が近代化し、２０１３年の「三ツ山大祭」と２０１４年のＮＨＫ大河ドラマをにらんだ「播磨のヒーロー黒田官兵衛」「かんべえくん体操」の3曲は、子どもミュージカル劇団「ファンキーキッズ」を率いる岸田直美が作詞、ギタリスト川島隆臣の作曲で、キッズが歌っているのも面白い。

（山崎整＝兵庫県ＮＩＥ推進協議会事務局長、ラジオ関西パーソナリティー、神戸学院大学客員教授）

姫路コラム⑤

日本最古の「幕の内駅弁」

鉄道の駅や列車内で売られる旅客向けの弁当を略して「駅弁」と称する。日本統治下で影響を受けた韓国と台湾で類似の弁当が存在するものの、世界的にはあまり類を見ない特異な食文化形態として日本独自に発達した。

列島各地に鉄道路線が延び、目的地までの乗車時間が長くなり始めた明治10年代半ばから、旅行者の間で「駅や列車内で手軽に食べられる弁当」への需要が高まってきた。鉄道会社では、こうした声に応えるため、駅近くの旅館や仕出し業者に調理と販売を委託した。駅弁の登場である。

日本最初の駅弁は、1885(明治18)年に旅館「白木屋」が調製し、日本鉄道(現JR)宇都宮駅(栃木県)で売られた「にぎり飯にたくわんを添えて竹の皮で包んだもの」とされる。初めて発売された日にちなみ、「7月16日」が「駅弁記念日」となった。

ただ起源については諸説あり、群馬県の高崎弁当が1年早く高崎駅で「おにぎり弁当」を発売していたと主張しているのをはじめ、さらに古い1877(同10)年の梅田(現JR大阪)駅説と神戸駅説▽1882(同15)年の敦賀駅(福井県)説▽1883(同16)年の上野駅(東京都)説―などもあり、第1号論争は完全には決着していないが、いずれにしても、まだ「弁当」と言える本格派ではなかったようだ。

今日、駅弁の主流となっている「幕の内」型では、現在のまねき食品が1889(明治22)年、山陽鉄道(現JR)姫路駅で販売したものが嚆矢とされる。これは、簡易な「竹の皮」型からは格段の進化を遂げた、2段重ねの折り箱入り。中身もタイの塩焼きに始まり、だて巻き、焼きかまぼこ、だし巻き卵、それに大豆と昆布、ゴボウ、フキの各煮付け、ユリ根、くりきんとん、奈良漬と梅干し、黒ゴマを振り掛けた白ご飯―という豪華版だった。

姫路駅での評判が各地の鉄道駅に広がり、幕の内スタイルがやがて駅弁の定番となっていく。考案したのは、明治初年、姫路で茶店「ひさご」を開いた竹田木八。姫路駅が開設された1888(同21)年12月、店を仕出し店「まねき」に再編していた。

(山崎整＝兵庫県NIE推進協議会事務局長、ラジオ関西パーソナリティー、神戸学院大学客員教授)

第5章

産業・経済

写真や資料の所蔵・提供先は以下の記号で示した。

＊1　『BanCul』姫路市文化国際交流財団

ものづくりニッポンを支える工場群

播磨臨海工業地帯の一角を成し、工業都市でもある姫路市。２００９年の調査によると、工業関係の事業所は２０６６社、従業員数は４万５８９０人だった。製造品出荷額等は１兆６１６２億円で、産業別にみると、鉄鋼が４４５９億円と最も多く、次いで電気機械の３３２３億円となっている。

市内の実質ＧＤＰは２兆円超。その規模は、高知県、鳥取県よりも大きく、島根県と同程度となっている。

大手メーカーの製造拠点

市南部を中心に、大手メーカーの製造拠点が集積している。臨海部の網干・飾磨地域に初めて近代的工場が誕生したのは１９０８（明治41）年。三菱、岩井商店、鈴木商店の３社が出資し、日本セルロイド人造絹糸（現ダイセル姫路製造所網干工場）を設立した。温暖な気候で天災が少なく、工業用水に恵まれ、海上輸送に便利な港湾を持つことが進出の決め手だったという。

昭和に入ると、国家的な需要が軍需産業に集中。臨海部に相次いで鉄鋼関係の工場が建設された。播磨工業地帯の基幹産業として鉄鋼業を不動のものとしたのは、１９３９（昭和14）年10月の日本製鐵広畑製鐵所（現新日鐵住金広畑製鐵所）の創業だった。大消費地の阪神地区近辺に生産拠点を求めることとなった同社は、当初広畑以外にも、堺（大阪府）、海南（和歌山県）、尼崎、大塩を候補地

昭和14年、日鐵広畑製鐵所の操業式（新日鐵住金提供）

参照 ダイセルの異人館➡27頁

に考えていたという。調査を進めたところ、地質が工場建設に適していたほか、大型船の出入航路の確保が可能などの理由で、広畑での生産拠点開設が決まった。同製鐵所では現在、自動車・家電・建築材料・住宅・飲料缶・変圧器など生活や産業を支える幅広い分野向けの薄板製品が製造されている。

大阪に本社を置く化学メーカー日本触媒も、網干区に製造拠点を置いている。同製造所は紙おむつ向けの高吸水性樹脂で世界2位のシェアを占める。また、三菱電機姫路製作所は、同社の自動車機器事業をけん引。同製作所は１９４３（同18）年に航空機の電装品工場として設立され、モータリゼーションとともに業容を拡大した。自動車用エンジン電装品・制御製品、ＥＴＣ車載器などを製造している。飾磨区臨海部には、かつて出光興産が兵庫製油所を置いていたが、２００３年春に稼働を停止。跡地にパナソニックが進出し、液晶ディスプレイを製造している。

日本触媒姫路製造所の夜景
(小川克美撮影＊1)

個性あふれる地元メーカー

進取の精神に富み、何事にも積極的な播州人気質によるものか、個性がキラリと光るユニークな地元企業が多いことも、姫路経済の特徴といえるだろう。

まずは山陽特殊製鋼（飾磨区中島）。

グローリー本社（同社提供）

その名の通り、自動車、産業機械、各種プラントの中でも特に重要な部品の素材として使用される特殊鋼を製造している。ベアリング用特殊鋼の供給で国内トップシェアを誇る。

　次に通貨処理機のパイオニア企業、グローリー（下手野）。前身は１９１８（大正７）年創業の電球製造装置修理工場。自社製品開発を目指して技術力の向上に努め、１９５０（昭和25）年に国産初の硬貨計数機を開発した。造幣局への納入をきっかけに通貨処理機事業に取り組み、その後、硬貨自動包装機、千円紙幣両替機、たばこ販売機などの国産第1号製品を開発した。現在、北米、ヨーロッパ、アジアの各地域に現地法人を持ち、世界１００カ国以上で製品を販売するグローバル企業へと成長した。

　東芝グループの西芝電機（網干区浜田）は１９５０（同25）年、集中排除法により東京芝浦電気（現東芝）の網干工場の設備・人員を継承し、「西芝電機株式会社」として分離・独立した。現在、発電システムや船舶用電気システムを製造している。

　鋳物メーカーの虹技《こうぎ》（大津区勘兵衛町）も個性派。溶かした金属を型に流し込んで成形する鋳物メーカーで、最も得意とする大型鋳物分野では、大手自動車メーカーと共同で開発した自動車用プレス金型鋳物やガスタービンのケーシング（外枠）などを手がける。また、地域の花や風景など「ご当地もの」の柄をデザインしたマンホールの鉄蓋メーカーとしても知られる。

ショーワグローブ（砥堀）は家庭用、作業用、産業用の各種手袋を製造している。創業者の田中明雄《あけお》氏は戦後、新素材「塩化ビニール」の実用化を模索し、万年筆のインクチューブ製造に成功した。さらなる活用先を目指していたところ、天然ゴム製に替わる塩化ビニール製手袋の製造を思い立った。戦時中、粗悪な手袋で思うように防寒できなかった創業者の経験も生かされたという。1954（昭和29）年、塩化ビニール製オール被膜タイプの手袋を世界で初めて開発。以後、多種多様な手袋を開発し、人々の手を守り続けている。

姫路港（姫路港管理事務所提供）

播磨商業の中心地

播磨随一の商業地である姫路駅前。大手前通り沿いにある山陽百貨店、ヤマトヤシキ姫路店の2つの百貨店と、みゆき通り商店街、二階町商店街、小溝筋商店街など10を超える商店街で構成され、播磨一円からの集客がある。

2大百貨店を核として

戦後、焦土と化した中心市街地の商店街復興の議論が高まる中、これに呼応するかのように、いち早く百貨店の設立を計画し、姫路復興に動き出したのが、「洋品百貨・米田まけん堂」だった。

米田まけん堂も1945（昭和20）年7月3日の空襲で罹災。その再建を図って集団店舗建設を計画し、翌1946（同21）年10月に約150㎡の木造2階建ての店舗を

姫路の商業中心地・大手前通り

開設した。さらに拡張計画を推進し、二階町筋にも次々に店舗を開店させ、衣料雑貨を中心とした直営の「まけん堂」に加えて、陶器、化粧品、履物、時計などの専門店を入居させ、回廊式で中庭のあるショッピングセンターを形成していった。1947（同22）年3月に法人化し、「株式会社やまとやしき」を設立、19

姫路駅前のみゆき通り商店街

72（同47）年に「ヤマトヤシキ」と社名を改めた。

一方の山陽百貨店は、その名の通り、山陽電鉄系列の百貨店。建設構想は、姫路市の戦災復興都市計画事業が進展する中で生まれた。市は1949（同24）年に50メートル道路の建設工事に着手したが、これと並行して山陽電鉄の姫路駅舎の高架化を提案していた。これを受けて同電鉄は駅舎と路線の高架化に踏み切り、これを契機に百貨店建設が具体化した。1953（同28）年7月1日に開店。山陽電鉄と神姫バス、国鉄（現JR）姫路駅の乗降客が集まる姫路の玄関口は同百貨店の開業で大きく変わり、姫路駅前整備に重要な役割を果たすこととなった。その後数回の工事を経て、同百貨店ビルには山陽電鉄乗り場と神姫バス待合所が完成し、ターミナルデパートとしての特長を発揮するに至った。

2013年にグランドオープンした駅前商業施設

駅前再開発で装い新たに

近年進められてきた姫路駅前再開発。これによって、駅前の商業環境も大きく様変わりしている。2013年3月末、地下街「グランフェスタ」がオープン。4月末には、駅北側に新駅ビル「ピオレ姫路」が、播磨初出店の「東急ハンズ」

参照 50メートル道路➡114頁

など119店舗を擁して開業した。若者を中心に新たなにぎわいが生まれているが、商店街など既存店舗との共存共栄が課題として浮上している。

流通最大手イオンの源流「フタギ」

国内最大手の流通グループ「イオン」。今や海外でも事業を展開しているが、その源流は姫路にあった。1937（昭和12）年、二木一一《ふたぎかずいち》氏が姫路市内で開いた「フタギ洋品店」だ。その後株式会社に改組した「フタギ」は1969（同44）年、四日市の岡田屋、豊中のシロと共同出資し、共同仕入れ機構「ジャスコ」を設立。その後、岡田屋が他2社などを合併して、社名をジャスコに。同社が母体となり、1980～90年代の苛烈な流通戦争を勝ち抜き、巨大流通グループへと発展していった。創業の地ともいえる姫路市内には市街地、郊外ともにイオン系列のショッピングセンター、ファッションビルが多数ある。

ウサギのマーク「西松屋チェーン」

ウサギのキャラクターで知られる西松屋チェーンは1956（昭和31）年創業のベビー・子ども洋品販売会社。「顧客が日本のどこに住んでいても、何らかの交通手段で30分もかければ満足のいく品質の商品が安く便利に買える店舗づくり」に取り組んでおり、北海道から沖縄まで835店（2013年2月20日現在）展開している。レイアウト、商品の棚割りや店舗オペレーションまでを効率化し、標準化した店舗で、子育て世代の支持獲得に成功している。

マックスバリュの発端は姫路

イオングループの一つである「マックスバリュ西日本」は、1982（同57）年に姫路で事業をスタート。当初「ウエルマート」名義で食品スーパーを出店していたが、現在は、兵庫のほか、中・四国エリアで「マックスバリュ」を展開している。2011年に本社機能を広島市に移した。

身近な交通手段、バスと電車

姫路駅と三ノ宮駅を40分で結ぶJRの新快速は、その速さを武器に、毎日大勢の通勤・通学客を両区間で輸送している。一方、姫路市民にとってより身近な日常の交通手段といえば、神姫バスと山陽電鉄が挙げられる。

神姫バス

前身の神姫自動車株式会社は1927（昭和2）年創業。加古川—尾上間で運行を始め、当時はTフォード1両・タクシー3両を所有、従業員は10人だった。1943（同18）年5月に明石市から姫路市に本社を移転。この時点で車両数571台の会社に成長していた。戦後、貸切バス、ワンマンバスの運行をスタート。現在、市内全域に路線を網羅するほか、県南部を中心に広いエリアで輸送事業を行っている。

市内では、1946（同21）年から市営バスが運行していたが、2010年3月に事業を停止。神姫バスがその路線を引き継いだ。

姫路駅北側の神姫バスターミナル

山陽電鉄

運行する山陽電気鉄道の本社は神戸市だが、姫路市民にとっては〝地元電鉄会社〟。「サンデン」「サンヨー」の愛称で親しまれている。

そのルーツは、明治期までさかのぼる。神戸を中心とする経済は早くから発展し、明治30年代には国鉄だけでは対応できないとの考え方が強くなり、京阪神付近では国鉄線に並行した民間鉄道の敷設が進められていた。このような背景から、神戸以西にも民間鉄道敷設の機運が高まり、１９０７（明治40）年７月に兵庫電気軌道が設立された。同社では１９１０（同43）年３月の兵庫―須磨寺間の開通を始まりとして、１９１２（同45）年７月に須磨寺―一ノ谷間、１９１３（大正２）年に一ノ谷―塩屋間、１９１７（同６）年４月に塩屋―明石間を順次開通させた。

姫路―明石間についても、海岸線に沿った鉄道の敷設が計画され、明姫電鉄が１９１９（同８）年８月に設立された。同社は１９２１（同10）年12月に神戸姫路電気鉄道と改称され、１９２３（同12）年８月19日に明石―姫路間の工事が

山陽姫路駅

開業翌年（大正13年）の山陽姫路駅前（山陽電鉄提供）

完了、開通した。宇治川電気（現関西電力）電鉄部は1927（昭和2）年1月1日に兵庫電軌を、続いて同年4月1日に神姫電鉄を合併して傘下におさめた。この合併により、直通運転の機運が高まり、1928（同3）年8月26日には兵庫—姫路間の電車線が出現した。1933（昭和8）年6月6日に宇治川電気は電鉄部を分離。独立会社の社名は「山陽電気鉄道」となった。

姫路以西については、日本製鐵（現新日鐵住金）広畑製鐵所をはじめとする工場群の建設決定とともに、1936（同11）年飾磨—網干間の免許が交付された。1939（同14）年10月に着工、翌年10月に夢前川まで、12月に広畑までが開通した。さらに1941（同16）年4月に天満まで、7月6日に網干まで開通し、現在の網干線が全通した。

1968年（同43）年4月に開通した神戸高速鉄道を介して、阪神電車との相互乗り入れをスタート。長年、乗り入れは神戸市内までにとどまっていたが、阪神淡路大震災からいち早く復旧し、スピードアップや増発で乗客を奪われたJR西日本への対抗策などから、1998年2月のダイヤ改正で、山陽姫路—阪神梅田を結ぶ「直通特急」の運転を開始。阪神姫路と三宮・大阪方面との結びつきは強まった。現在、両駅間の約90㎞を、最速約95分で結ぶ。

その後、2009年3月の阪神なんば線の開業に伴い、姫路から奈良や大阪東部など近鉄沿線へのルートがつながり、山陽、阪神、近鉄の広域鉄道ネットワークが誕生した。

技が光る姫路の逸品

姫路市には、長年伝承されてきた匠の技による手作りの工芸品が数多くある。代表的なものを紹介する。

姫路独楽

姫路独楽（＊1）

幕末から明治初期に興ったとされる。昭和初期の段階で製造に携わっていたのは5、6業者で、その数は当初からさほど多くなかったが、販路は玩具問屋を通じて西日本各地にまで広がっていた。かつて、姫路独《こ》楽《ま》に松竹梅の飾り物を添えて正月の床飾りとする風習、男児出生の初正月の祝儀として贈る風習があり、子どもが早く独り立ちすることを念じる意味があったという。兵庫県伝統的工芸品。

姫路張子玩具

張子は「ハリボテ」ともいい、和紙を張り重ねて作る。室町時代に中国から伝来したとされる。江戸時代になって反故紙（不要になった和紙）が豊富だった城下町で全国的に張子の人形や玩具が作られるようになった。姫路では明治初期に興ったと伝えられている。創始者は豊岡（豊国屋）直七と言われており、姫路張子玩具の伝統を今に伝える松尾隆氏は、直七から四代目に当たる。兵庫県伝統的工芸品。

姫路張子玩具（＊1）

姫路仏壇

姫路で仏壇が作られるようになっ

姫路仏壇（＊1）

たのは江戸時代。姫路地方には仏壇を立派に、そして大切にするという風土があり、仏壇制作が盛んになった。木地、彫刻、下地、塗り、金箔、飾金具、蒔絵とそれぞれの工程で伝統的な技法と高い技術力で制作され、台輪、支輪が木爪で重厚感があり、荘厳な趣の最高級仏壇。その技は、播州の祭り屋台にも応用されている。兵庫県伝統的工芸品。

明珍火箸

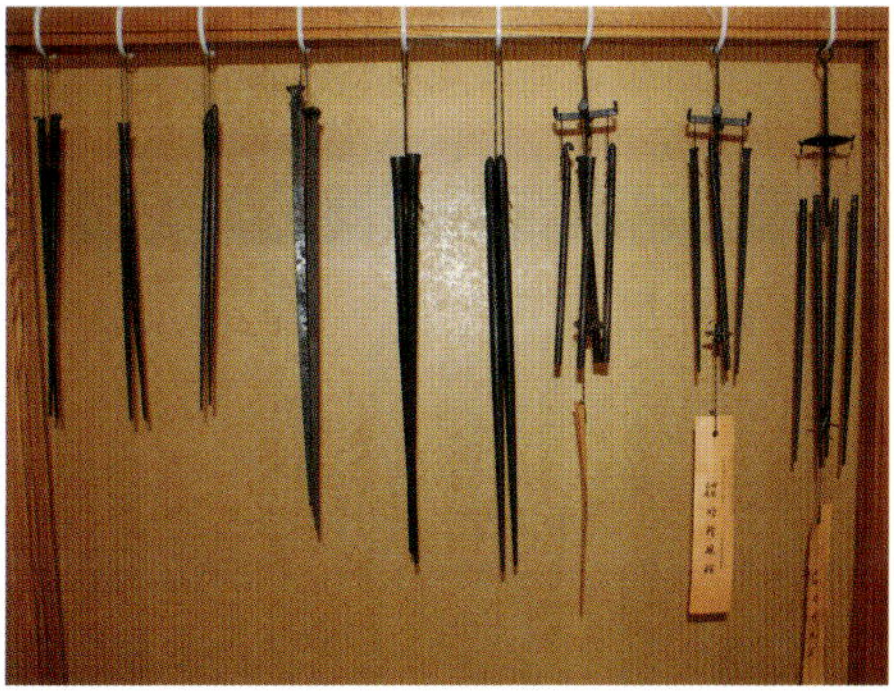

明珍火箸の風鈴（＊1）

明珍家は平安時代から続く甲冑師の家柄で、姫路藩主にも仕えた。火箸は19世紀のはじめ、その技術を生かして火箸を作ったのが始まり。火箸の型は、20種類ほどある。最近では火箸を利用して風鈴が作られており、火箸が触れ合ったときに奏でる澄みわたった音色は、日本的な風流を感じさせる逸品として人気が高く、国内外のミュージシャンからも絶賛されている。兵庫県伝統的工芸品。

姫路白なめし革細工

白革なめしは、4、5世紀頃姫路地域で始まったとされる。戦国時代には鮮やかに染色され、様々な甲冑や馬具の装飾に使用されていた。その後、技術技法を守り続け、18世紀に入ると、羽織、

姫革細工の製品（石丸孝二撮影）

足袋、財布などの日用品が作られるようになり、現在ではブックカバーやハンドバッグ、札入れ、がまぐちなど用途も多様化。広く愛用されている。兵庫県伝統的工芸品。

しらさぎ染

播磨地方の藍染物の歴史は古く、奈良時代より飾磨の褐染として有名だった。羽柴秀吉が播磨を平定し、安土城の織田信長に謁する時にも献上されたと伝えられる。江戸時代には、姫路藩が藍製造を藩業として奨励したこともあり、藍染物の生産は大いに栄えた。その後、明治時代に途絶えたが、伝統の藍染めに播磨のシンボル姫路城を図柄に取り入れ、1969(昭和44)年にしらさぎ染として復活した。兵庫県伝統的工芸品。

しらさぎ染の製品
(しらさぎ染㊣提供)

いぶし瓦

1805(文化2)年、瓦に使う良質の原料粘土を探し求めていた姫路藩御用瓦師、小林又右衛門が、小利木町から神崎郡船津村(現・姫路市船津町)に移り住み、窯を築いたのが始まりとされる。以来、昭和の初め頃まで多くの瓦工場が船津周辺にあり、「神崎瓦」の名を全国に知らしめた。年月の経過とともに、瓦製造業者の数は減ったが、現在も船津を中心に一般住宅用の瓦から寺院や城郭に用いる役瓦(屋根の特殊な部位に用いる瓦。鬼瓦など)などが生産されている。姫路城の「昭和の大修理」「平成の大修理」でも、船津のいぶし瓦が使われた。

いぶし瓦(光洋製瓦　小川克美撮影＊1)

高シェア誇る地場産品

皮革

兵庫県における製革業の歴史はきわめて古く、弥生時代後期に大陸から渡来人が鞣製《じゅうせい》技術を伝え、その

姫路の皮革（新喜皮革　＊1）

基礎を築いたとみられる。その後、江戸時代中期に全国的な商品経済の発達と姫路藩の重商政策のもとに大きく発展した。明治期になり近代的鞣製法が取り入れられ、大正期には軍需専門化が行われ、急速に企業化が進んだが、戦後は強制的な軍需専門化は分裂し、小規模民需産業として再出発した。姫路・高木地区は日本のタンナー（製革工場）の最大集積地で、現在も80社ほどがあり、全国の約35%を占める。

にかわ・ゼラチン

にかわ製造業は、日本最大の皮革産地である西播地域において、原材料の皮革屑や牛骨等の入手が容易だったことから、明治の初めに姫路市周辺に興った。特に網干地区は、20世紀初めに大規模産地として有名になった。当初は農家の副業的なものだったが、大正になって企業化され、産地としての体制が整った。1957（昭和32）年に企業数が78に増え、全盛期に。その後、供給先のマッチ業界が衰退し、需要の後退から業者数が減り集約化されたが、現在でも西播は全国にかわ生産のほぼ全量を占め、輸出も行っている。

にかわの主な用途は、紙器、紙管、サンドペーパーなどの研磨紙、マッチなど。また、ゼラチンの用途は、食用、医薬用、写真用、工業用、化粧品用などで、幅広く利用されている。最近は特にコラーゲンペプチドに幅広く利用されている。西播のゼ

ラチン国内生産量シェアは約20％。

鎖

鎖製造業は白浜町を中心に40社が生産を行っており、全国生産高の約70％のシェアを誇っている。もともと当地には、江戸中期から「松原釘」と呼ばれる釘の火造鍛造技術が発達しており、それが明治中期に船釘の製造に替わった。同末期、白浜町出身の瀬川長蔵氏が大阪で製鎖業を営んだが、第一次世界大戦で受注量が増大し、本社工場の生産ではとうてい間に合わなくなった。そこで、大正初期に姫路市の木場港付近に分工場を開設し、弟子たちを養成した。第二次世界大戦中に細物の電気溶接機が開発され、1957（昭和32）年には外国製の大型溶接機（フラッシュバット）を導入。順次、国内産溶接機に移り、現在では火造り鎖はほとんど見られない。

線径が数十㎜のものから飾りチェーン等の細かいものまであり、材質も多様化している。

船場川岸壁に積まれた鎖
（島内治彦撮影＊1）

ボルト・ナット

兵庫県におけるボルト・ナットの製造業者の地域分布は、主にボルト・ナット両方を製造している神戸市地域と主にナットを製造している姫路市地域に大別できる。姫路地区でのナット製造は、造船で使用されるポンチカスを利用した手打ち火造りの「和ナット（丸製ナット）」から始まった。当時ねじ立ては手回しのタップで行われていた。

ナットの製造が活発化したのは明治末期。昭和の初め、平製ナット機が導入されると、往来の丸製ナットから順次平製ナットに移行した。その後、丸鋼からナット素材を形成できる新しい丸製ナット機が導入され、再度丸製ナットの生産量が急増した。昭和30年代後半になると、より高精度な製品が製造されるようになった。

現在、機械系工業の高度化・近代化につれてメカトロニクス、ロボット生産に必要な精密、高級な製品分野が新しい需要を生む方向にあるため、業界は製品の多様化、高級化など質の転換と安価な輸入品との共存を課題として取り組んでいる。

マッチ

明治維新直後、失業士族救済、国内産業振興のため、全国各地にマッチ工場がつくられた。兵庫県では姫路の就光社、尼崎の慈恵社が設立されたが、明治期の経済恐慌に持ちこたえられなかった。そのため職員がそれぞれ独立し、神戸、大阪にマッチ工場をつくり、日本を代表する貿易港である神戸港からマッチが輸出されるようになった。やがて神戸で造船・鉄鋼・ゴム製品などの工業が発達すると、マッチ生産の中心が西へ移動。現在は姫路地域で国内の約90%を生産している。マッチ産業が姫路に根づいた理由としては、国際貿易港・神戸港に近く、原材料の輸入や製品輸出に有利だったこと、雨が少なく温暖な瀬戸内海性気候が乾燥工程の多いマッチの製造に適していたことなどが挙げられる。日本製のマッチは種類が豊富で、品質が優れているため、海外人気は高い。

ゴルフクラブ

明治期、神戸・六甲山に外国人向けのゴルフ場がつくられ、わが国のゴルフの歴史が始まった。昭和に入ると、一部日本人の間でもゴルフが流行し始めた。そんな折、三木の金物工業試験場研究員の許にアイアンヘッド製造研究の依頼が舞い込んだ。研究員は刀鍛冶技術を持つ姫路の職人にアイアンヘッド製作の話を持ちかけ、日本人プロゴルファーの助言を受けながら、1930（昭和5）年に日本初のアイアンヘッドを完成させた。日本製ゴルフクラブの歴史の幕開けだった。

その後、ゴルフ倶楽部の整備進行とともに、姫路のアイアンヘッド生産も軌道に乗り始めたが、第二次世界大戦によってゴルフクラブの製造・販売は全面的に禁止。戦後、平和の訪れとともに業界は再興した。昭和40年代には高度経済成長と余暇志向が相まってゴルフ人口が増加。企業数は20数社にも上り、機械化合理化も進み、姫路のアイアンヘッドは全国生産量4分の3を占めるまでに発展した。この頃、アイアンヘッドといえば「姫路物」と言われるようになり、最盛期を迎えた。現在、ゴルフ理論の進化に伴い、素材・技術とともに多様化。クラブの高級化が進んでいる。海外からの攻勢も強いが、それに打ち勝つ商品づくりに、業界を挙げてまい進している。

石材採掘

　家島諸島の主要産業といえば石材採掘。かつて姫路藩が飾磨や高砂港などの修築を計画した際、石の埋蔵量が多く、海岸から船で容易に運び出せる同諸島に着目。諸島東部の男鹿島に各地から石工が渡り、石を切り出したという。これがきっかけとなり、明治期に神戸や大阪で近代的な港湾が整備される際、大量の石材を供給した。日露戦争時、ロシア艦隊の拠点・旅順港を閉鎖する作戦でも同諸島の石が使われたという。

　第二次大戦後は大型重機が採石場に続々と登場。戦後復興や高度成長期の土木事業に向け絶え間なく石材が生産された。最近では、関西国際空港や神戸空港などの建設工事に、同諸島の石材が使われた。

そうめん

　古くから播州地方で作られてきた手延べそうめんを端緒として、量産化とコストの低減を目標とし、明治時代中期に乾めんの製造が始まった。兵庫、岡山県産の粘りのある製麺用小麦、瀬戸内沿岸で製造される良質な赤穂の天然塩、揖保川の良質な水などの好条件に恵まれて発展してきた。数ある乾めんの中でも、播州で生産される「揖保乃糸」（兵庫県手延素麺協同組合）は、そうめんのトップブランド。姫路市内では、林田町がその産地として知られる。

豊富な海の幸・山の幸

漁業

姫路市の南に広がる播磨灘はタイやメバル、スズキ、カレイ、アナゴ、シャコ、ワタリガニなど海の幸の宝庫。市内には、妻鹿、家島、坊勢島などに漁港があり、小型底びき網漁業や船びき網漁業を行っている。ノリ養殖も盛ん。播磨灘で水揚げされた魚介類を使った料理は「前どれ料理」と呼ばれる。

妻鹿漁港で水揚げされた前どれの魚（島内治彦撮影＊1）

播磨灘には「鹿の瀬」という浅瀬があり、瀬戸内海随一の漁場として知られている。この浅瀬の砂地に住みつき繁殖する「イカナゴ」は、瀬戸内に春を告げる魚。家庭や料理店で「くぎ煮」と呼ばれる佃煮に加工され、播磨を代表する味とされている。

レンコン

姫路市西南の大津区勘兵衛町は、兵庫県内の数少ないレンコン産地。同市におけるレンコンの歴史は30年前ともいわれていたが、『飾磨郡誌』によると「約150年前に姫路藩の河合惣兵衛が市川流域の三角州の干拓地に朝鮮ハスを導入した」と記されている。

当地の土質は砂質壌土でレンコン栽培に最適、北上するにつれ粘土質の含量が増加する。

この地域でのレンコン栽培の歴史は大正初期にさかのぼる。地下水の湧出などにより湛水田が多く、水稲栽培が困難だった。そこで山口県のレンコン栽培を知った関係者が種苗を持ち帰って栽培。本格的な取り組みが始まったのは昭和初め頃で、米作より収益性が高いことなどもあって、レンコン栽培が定着した。

タケノコ

播州平野の中央部に位置する姫路・太市地区。そこで取れるタケノコは「器量の山城（京都）、味の太市」といわれ、京都のタケノコに引けを取らない。やや急傾斜の鉄分を多く含む白い粘土層土壌で栽培されているため、「白くて柔らかい」「きめが細かい」「アクが少ない」「形状がよい」として、高い評価を受けている。

太市地区でのタケノコ栽培の歴史は古く、古文書によると、19世紀半ばに「孟宗竹を移植したのが始まり」と記されている。以後、自家消費を対象に増反されたが、明治期になって販売されるように。高い品質評価

太市のタケノコ（姫路農業改良普及センター提供）

により産地化が急速に進み、市内はもとより、神戸、岡山に出荷された。その後も、県内特産物として順調に増え、作付面積30~40ha前後で数十年を経過し、現在に至っている。

網干メロン

来歴の詳細は不明だが、木下広治氏が１９２１（大正10）年頃、網干町の店から購入し、栽培したのが始まりと言われている。昭和の初め、これを「網干メロン」として出荷したとみられる。１９３５（昭和10）年頃、当地にあった県立蔬菜採種地で採種、選抜改良が行われた。

１９３８（同13）年発行の『兵庫之園芸』の中に、当メロンについて「マクワウリとしては出色のものであり、外観と日持ちに改良が加われば日本一のマクワウリだ」との記述があった。

網干メロン（姫路市農政総務課提供）

網干メロンは重さ150g前後、だ円形で果色は緑白色、浅い条溝が10条ほどあるのが特徴。花痕部は突出せず、果肉は淡緑色で、香気高く、甘味は強い。肉質は歯切れ良く、熟果は肩の部分に輪状のネットを生じる。現在1ha程度の産地。特に年配者にとって「昔を思い出す懐かしい味」のようだ。

ユズ

ユズ製品（安富ゆず組合提供）

安富の特産といえばユズ。ユズ特産化は1990年代、姫路市と合併する前の旧安富町で、町当局がまちづくりの一環として生産を奨励したことに始まる。農事組合法人安富ゆず組合が主体となり、特産ユズをさまざまな商品に加工し、販売している。たれやポン酢、マーマレード、ようかんといった食品のほか、ユズ成分を配合したせっけんやボディソープなども製造・販売している。

ソバ

夢そばの花（＊1）

姫路市北部、夢前町の特産。農薬・化学肥料に頼らずに穀類、野菜を育てることにこだわる地元企業「夢前夢工房」が栽培している。同社栽培の「夢そば」は、「ひょうご推奨ブランド」として兵庫県の認証を得ている。コンビニエンスストアと連携してオリジナルのソバ商品を販売するなど、特産品の知名度アップ、販路拡大に取り組んでいる。

姫路コラム6

信金・信組の多いまち

姫路市内を車で走れば、いかに信用金庫・信用組合が多いかすぐ分かる。メガバンクや地方銀行の支店も多く立地するが、その数は信金・信組に到底及ばない。

播磨臨海工業地帯の一角を占め、決して小さくない経済規模を持つ姫路市。現在、市内に本店を置く地場の銀行は存在しないが、かつて特徴ある複数の地場銀行があった。明治期、姫路に初めて設立された銀行が第三十八国立銀行だ。日清戦争の勝利で賠償景気に沸き、諸工業が躍進。姫路では萬里銀行、姫路商業銀行、博融銀行の3行が相次いで設立された。大正中期から政府は弱小銀行の強化を推し進め、姫路でも銀行の集約化が進んだ。

昭和に入ると、政府は「一県一行主義」を強力に推進。大蔵省（現財務省）は1936（昭和11）年、三十八銀行、西宮銀行、灘商業銀行、神戸岡崎銀行、五十六銀行、姫路銀行、高砂銀行の7行に合同勧奨を出した。当時、姫路経済界は「中小工業者の金融に重大なる障碍を惹起する」として合併反対の陳述書を大蔵大臣当てに提出したが、聞き入れられることはなく、神戸に本店を置く神戸銀行が生まれた。このことで、姫路に本店を置く銀行は消滅した。

一方、庶民の金融機関として長年資金需要に応えてきたのが信金・信組だ。市内に本店を置く姫路信用・播州信用・兵庫信用の3金庫は、それぞれ20前後の支店・出張所を市内に持っており、そのほか近隣市に本店を置く信金・信組も複数店舗を構えている。

「ひめしん」の愛称で知られる姫路信用金庫は1910（明治43）年、市内で足袋製造をしながら市会議員をしていた三宅正太郎氏が「中小企業のために庶民の金融機関を作ろう」と開業。銀行融資が受けにくく、市中の高利貸しで資金調達をせざるを得なかった中小企業の期待を集め、順調に発展した。1930（昭和5）年には、姫路相互信用組合が創設された。後に播州信用金庫と改め、地元では「ばんしん」と呼ばれている。また、昭和初期に姫路市の海岸部に誕生した網干信用販売組合、飾磨信用組合は、1964（同39）年に合併し、播磨信用金庫に。翌年、赤穂・佐用地区を地盤としていた赤佐信用金庫と合併し、1974年には神戸市内に8支店を持つ神和信用金庫と合併、兵庫信用金庫となった。「ひょうしん」の愛称で親しまれている。

（藤本陽子＝元神戸新聞記者、フリーライター）

索　引

●か行

●さ行

●た行

●な行

●は行

姫路市の概要

●市勢とシンボル（数字は平成25年7月1日現在）

人　口　535,777人（男＝259,304人　女＝276,473人　推定人口）

世帯数　212,610世帯

面　積　534.43km^2

市役所　〒670-8501 姫路市安田4丁目1番地
電話079-221-2111（庁内番号案内）

市　章　「姫」の字を図案化したもので、女へんの中に「臣」の文字を入れて姫とし、発展する市勢を表現している。1901年12月17日制定

市　旗　姫路城の優美な姿を象徴し、市の希望を示す「シラサギ」をカタカナの「ヒ」に図案化。希望と躍動、自由と前進を力強く表している。1969年5月3日制定

市　花　サギソウ　ラン科の一種で、サギソウが翼を広げて舞っているような白く清らかな花が特徴。1966年8月18日制定

市　木　カシ　樹勢が強く、「緑の姫路」を創造するにふさわしい木として制定された。1972年10月5日制定

市　鳥　シラサギ　姫路城は、天守閣がこの鳥の飛翔する姿に似ていることから別名「白鷺城」とも呼ばれている。1989年4月1日制定

市　蝶　ジャコウアゲハ　現在の姫路城を築いた池田輝政の瓦紋にはアゲハチョウが使われており、さなぎは「播州皿屋敷」のお菊の化身ともいわれている。1989年4月1日制定

イメージキャラクター　しろまるひめ　姫路市制120周年、姫路城築城400周年、姫路港開港50周年を記念し設定。2010年4月6日に姫路市民となる。

●姉妹都市

海外　シャルルロア市（ベルギー）1965年7月13日提携
フェニックス市（アメリカ）1976年11月3日提携

アデレード市（オーストラリア）1982年4月19日提携
クリチーバ市（ブラジル）1984年5月14日提携
太原市（中国）1987年5月20日提携
昌原（チャンウォン）市（韓国）2000年4月18日提携

国内 松本市（長野県）1966年11月17日提携
鳥取市（鳥取県）1972年3月8日提携

●姉妹城

シャンティイ城（フランス・ロワーズ県） 1989年5月11日提携

●年中行事・イベントカレンダー

月	日	内容（会場）
1月	元旦	元旦市（姫路駅前）
	7日	鬼会式（八徳山八葉寺）
	上旬	消防出初式（シロトピア記念公園）
	第2日曜	姫路城下町マラソン大会（姫路城周辺）
	18日	書写の鬼追い（書寫山圓教寺）
2月	3日	節分祭（播磨国総社・廣峯神社・書寫山圓教寺） 追儺式（姫路神社）
	11日	鬼追い（増位山随願寺） 姫路城ロードレース大会（書写・夢前周辺）
4月	3日	御田植祭（廣峯神社）
	第1日曜とその前日	献茶祭（天徳山龍門寺）
	上旬	姫路城観桜会・お花見太鼓（姫路城三の丸広場） 姫路城夜桜会（姫路城西の丸）
	18日	祈穀祭（廣峯神社）
	下旬	千姫ぼたん祭り
5月	上旬	書写山新緑まつり（書写山）
6月	22〜24日	ゆかたまつり（長壁神社周辺）
	26〜28日	荒神祭（大覚寺）
	30日	輪ぬけ祭（播磨国総社）
	下旬	あじさいまつり（あじさい公園・あじさいの里）
7月	10・11日	湯立祭（播磨国総社）
	24・25日	家島天神祭（家島神社ほか）
	下旬	姫路みなと祭（姫路港内） 夢さきふるさとまつり（夢前川河川公園）

月	日	内容（会場）
8月	第1土曜	ぼうぜペーロンフェスタ（坊勢西ノ浦漁港）
	上旬	姫路お城まつり（姫路城周辺） 姫路城薪能（姫路城三の丸広場）
	第2土曜	香寺夏まつり（香寺総合公園）
	9日	お夏・清十郎まつり（慶雲寺周辺）
9月	中秋の名月の日	姫路城観月会（姫路城三の丸広場） 好古園観月会（好古園）
10月	8・9日	飾磨の屋台の台場差し（浜の宮天満宮） 飾磨の屋台の台場練り（恵美酒宮天満神社）
	体育の日の前の土・日曜	甲山の屋台練り（甲八幡神社） 岩部の樽かき（大歳神社） ※市内で行われる秋祭りの多くが、この土日に催されます。
	14・15日	灘のけんか祭り（松原八幡神社） 大塩の獅子舞（大塩天満宮）
	21・22日	津の宮の提灯祭り（魚吹八幡神社）
	中旬〜	姫路城菊花展（姫路城三の丸広場）
11月	中旬	書写山紅葉まつり（書写山）
	下旬	置塩城まつり（櫃蔵神社周辺）
	13〜16日	霜月大祭（ひめじ祭り）（播磨国総社）
	15日	御柱祭（廣峯神社）
12月	31日	輪ぬけ祭（播磨国総社）

※注：開催日等は年によって変更される場合があります。姫路観光コンベンションビューローのホームページなどで最新の情報をご確認ください。
http://www.himeji-kanko.jp/event/

姫路のあゆみ

西暦（元号）	姫路の出来事
旧石器時代	手柄山から黒曜石の石器が出土。 家島町の大山神社遺跡から打製石器が出土。
縄文時代	香寺町溝口の平尻遺跡から縄文土器などが出土。 辻井遺跡から屈葬された人骨や縄文土器などが出土。 堂田遺跡から当時の食生活を偲ばせる貝殻や動物の骨が出土。
弥生時代	丁柳ヶ瀬遺跡から木製の鍬が出土。 夢前町神種から銅鐸が出土。 名古山遺跡・今宿丁田遺跡から銅鐸製作用の鋳型片が出土。 大山神社遺跡から戦闘用と見られる石鏃・投弾などが出土。 檀特山遺跡から銅剣の形をした磨製石剣が出土。 安富町の谷山遺跡から竪穴住居、石鏃、青銅製品が出土。
古墳時代	瓢塚古墳（竪穴式石室、墳長 104m の前方後円墳）。 壇場山古墳（長持形石棺、墳長 143m の前方後円墳）。 宮山古墳（渡来人が埋葬されたと考えられる円墳。朝鮮半島の遺物と似た多数の副葬品を出土）。 山之越古墳（長持形石棺、1 辺 50m の方墳）。 市之郷遺跡（渡来人が住んでいたとみられる集落跡）。 見野古墳群（6 世紀半ば以降の群集墳の代表例）。 権現山古墳・御輿塚古墳（大型の横穴式石室を持つ代表例）。
飛鳥時代	仏教が伝来し、市之郷廃寺、下太田廃寺、辻井廃寺、見野廃寺、溝口廃寺など多くの寺院が建立される。
701（大宝元） 715（和銅 8） 733（天平 5） 741（天平13） 868（貞観10）	大宝律令制定、播磨国が置かれ、姫路に国府が設けられる。 この頃、『播磨国風土記』成立か。 この年、廣峯神社が創建されたという。 国分寺・国分尼寺の建立の詔（播磨国分寺跡）。 7 月、播磨国大地震で諸郡の官舎・定額寺の堂塔などすべて倒壊する。
966（康保 3） 986（寛和 2） 987（永延元）	性空上人、書写山に至り、草庵を結ぶ。 7 月、花山法皇、書写山に行幸。書寫山圓教寺の寺号を与える。 10 月、書寫山圓教寺講堂の落慶法要が行われ、講堂の釈迦三尊像が造立される。 この頃、姫路に福井荘、松原荘など多くの荘園ができる。

西暦（元号）	姫路の出来事
1007（寛弘４）	３月、性空上人、没する。
1168（仁安３）	９月、平清盛、書寫山圓教寺で一切経会を始修し、増位山随願寺の金堂などを増改築する。
1174（承安４）	４月、後白河法皇、書寫山圓教寺に行幸する。
1181（養和元）	播磨国内大小明神を合わせ祀る播磨国総社が創建される。
1298（永仁６）	藤原親泰、津田天満神社へ「北野天神縁起絵巻」を奉納する。
1333（元弘３）	１月、赤松則村、護良親王に応じ苔縄城（現上郡町）で挙兵。
（正慶２）	５月、後醍醐天皇、伯耆からの還幸の途次、書寫山圓教寺、増位山随願寺に参詣する。
1346（貞和２）	赤松貞範が姫山に砦を築くといわれる。
1349（貞和５）	この頃、『峰相記』なるという。
1441（嘉吉元）	６月、赤松満祐、京都の自邸に将軍足利義教を招き、これを殺害する（嘉吉の乱）。 ９月、満祐、追討軍の山名持豊に討たれ、赤松氏滅ぶ。
1458（長禄２）	８月、赤松政則、南朝方に奪われていた神璽を奪還した功により、赤松家の再興が許される。
1467（応仁元）	応仁の乱の功で赤松政則、播磨旧領地を回復、姫路城を修造して居城とする。
1469（文明元）	赤松政則、置塩城を築いて移り姫路城を小寺豊職に守らせる
1504（永正元）	赤松義村、播磨国総社の丁卯祭（一ツ山・三ツ山）など社祭の式礼を定める。
1519（永正16）	小寺政隆が御着城を築く。
1561（永禄４）	黒田職隆が姫山に新城を築く。
1577（天正５）	４月、毛利氏の軍勢、英賀に進出。御着城の小寺政職配下の黒田官兵衛これを撃ち破る。 10月、羽柴秀吉、信長の命で中国攻略のため播磨に入る。
1579（天正７）	12月、秀吉の軍勢によって御着城落ちる。
1580（天正８）	１月、秀吉の軍勢によって英賀城落ちる。 ４月、秀吉、三木城から黒田官兵衛に譲られた姫路城に移り、３重の天守閣を持つ姫路城の築城を開始（翌年完成）。官兵衛は妻鹿国府山城に移る。 10月、秀吉、龍野町に楽市・楽座の制札を与える。
1582（天正10）	６月、備中高松出陣中の秀吉、本能寺の変の報せを受け、毛利氏と和睦して姫路城に戻り、明智光秀との弔い合戦に向かう（中国大返し）。山崎・天王山の戦いで勝利する。

西暦（元号）	姫路の出来事
1583（天正 11）	6 月、秀吉、大坂城に移り、姫路城に弟の秀長を置く。
1591（天正 19）	10 月、野里の鋳物師棟梁芥田五郎右衛門、朝鮮出兵用の大鉄砲の製作を命じられる。
1600（慶長 5）	10 月、徳川家康、池田輝政に播磨一国 52 万石を与え、姫路に封ずる。
1601（慶長 6）	輝政、播磨一国の検地を始め、姫路城の築城に着手する。
1609（慶長14）	5 重 6 階地下 1 階の大天守を持つ姫路城完成。
1613（慶長18）	輝政没し、嫡男利隆が家督を継ぐ。
1617（元和 3）	本多忠政、姫路に入封、忠刻・千姫夫妻も姫路に入る。
1618（元和 4）	忠政、池田家組屋敷跡に船場本徳寺を建立。
1661（寛文元）	盤珪、浜田村に龍門寺を建立。
1686（貞享 3）	4 月、田捨女、盤珪の門に入り、龍門寺のほとりに庵居する。
1741（寛保元）	7 月、大坂豊竹座で「播州皿屋敷」初演。
	10 月、姫路藩主榊原政岑、不行跡により幕府から隠居謹慎を命じられ、その子政永が藩主となる。
1749（寛延 2）	1 月、酒井忠恭、姫路に入封。この月から 2 月にかけて姫路藩領全域にわたって一揆が起きる（寛延の大一揆）。
	7 月、姫路城下、船場川で大洪水が起こり、船場地区で 394 人もの水死者を出す。
	この年、姫路藩校「好古堂」が開設される。
1750（寛延 3）	前年の一揆の指導者滑甚兵衛ら磔刑に処せられる。
1762（宝暦12）	8 月、平野庸脩、『播磨鑑』を著す。
1794（寛政 6）	林田藩主建部政賢が藩校「敬業館」を建てる。
1808（文化 5）	12 月、姫路藩主酒井忠道、家老河合道臣（寸翁）に藩政改革を委任。
1809（文化 6）	9 月、姫路藩、領内に固寧倉を創設。
1804〜18(文化年間)	姫路藩、高砂に申義堂、城下に熊川舎を設立。
1821（文政 4）	1 月、河合道臣、「仁寿山校」創設（開校は文政 6 年）。
	3 月、姫路藩、城下綿町の切手会所に御国産木綿会所を設け、木綿の専売を実施。
1823（文政 6）	姫路藩、江戸での木綿の専売権を確立。
1850（嘉永 3）	2 月、姫路藩、室津と家島に砲台の築造を始める。
1858（安政 5）	姫路藩士秋元正一郎（安民）ら建造の洋式帆船「速鳥丸」進水。
1863（文久 3）	10 月、平野国臣ら生野で挙兵、姫路藩などが鎮圧に出兵。

西暦（元号）	姫路の出来事
1864（元治元）	12月、姫路藩、藩内の尊皇攘夷派を弾圧、死罪8人を含む関係者70人を処罰する（甲子の獄）。
1865（元治2）	2月、姫路藩主酒井忠績、幕府大老に就任。
1868（慶応4）	1月、姫路藩、討伐の備前藩に降伏、姫路城を明け渡す。
	11月、姫路藩、他藩に先がけて版籍奉還を建議する。
1871（明治4）	姫路県が置かれ、次いで飾磨県と改称される。
1873（明治6）	3月、諸国存城が制定され、姫路城は存置に指定される。
	4月、鉱山寮生野支庁、生野から飾磨までの馬車道が完成する。
1876（明治9）	8月、飾磨県が廃され、兵庫県に合併される。
1878（明治11）	9月、中播6郡連合の姫路中学校（現県立姫路西高等学校）開校。
1888（明治21）	12月、山陽鉄道の姫路―兵庫間が開通。
1889（明治22）	4月、市・町村制施行、姫路市制を敷く。
1894（明治27）	7月、播但鉄道の姫路―寺前間が開通。
1898（明治31）	4月、陸軍第十師団が編成。
1901（明治34）	4月、兵庫県第二師範学校開校、8月に姫路師範学校に改称。
	12月、市章が制定される。
1903（明治36）	11月、御幸通り完成。
1907（明治40）	1月、市内電話開通。
1910（明治43）	4月、県立姫路高等女学校（現県立姫路東高等学校）開校。
1911（明治44）	7月、姫路城天守閣修理完成（明治の保存工事）。
1912（大正元）	8月、姫路城、姫山公園の一般公開が始まる。
1915（大正4）	3月、市役所新庁舎北条口に落成。
1922（大正11）	7月、姫路商業会議所（現姫路商工会議所）設立。
1924（大正13）	4月、官立姫路高等学校開校。
1925（大正14）	4月、城北村と合併。
1926（大正15）	4月、全国産業博覧会を城南練兵場で開催。
1928（昭和3）	8月、宇治川電気鉄道部（現山陽電気鉄道）、姫路―兵庫間の直通運転を開始。
1929（昭和4）	4月、上水道給水を開始。
1931（昭和6）	1月、姫路城が国宝（旧）に指定。12月、市公会堂完成。
1933（昭和8）	4月、水上村、砥堀村と合併。
1935（昭和10）	10月、城南村、高岡村を編入。
1936（昭和11）	4月、安室村、荒川村、手柄村と合併。国防と資源大博覧会開催。姫津線（現JR姫新線）津山まで開通。

西暦（元号）	姫路の出来事
1939（昭和14）	10月、日本製鐵（現新日鐵住金）広畑製鐵所、操業開始。
1940（昭和15）	2月、飾磨町が飾磨市として市制施行。
1941（昭和16）	7月、山陽電気鉄道網干線（飾磨—網干間）開通。
1945（昭和20）	6月、米軍により川西航空機など城東地区が爆撃される。
	7月、米軍の大空襲により市内中心部の大半を焼失。
1946（昭和21）	3月、姫路市、飾磨市、白浜町、広畑町、網干町、大津村、勝原村、余部村が合併（ラモート合併）。新生姫路市が誕生。
1947（昭和22）	4月、新制小学校・中学校開校。5月、市庁舎を本町に移転。
1948（昭和23）	3月、消防署設置。4月、新制高等学校開校。
1949（昭和24）	5月、神戸大学姫路分校開校。
1951（昭和26）	12月、市立動物園オープン。
1954（昭和29）	7月、八木村、糸引村、曽左村、太市村、余部村と合併。
1955（昭和30）	2月、大手前通り「50メートル道路」完成。
1956（昭和31）	5月、姫路城天守閣解体復元工事「昭和の大修理」が本格的に始まる。
	10月、手柄山に太平洋戦全国戦災都市空爆死歿者慰霊塔完成。
1957（昭和32）	10月、四郷村、花田村、御国野村、別所村と合併。
1958（昭和33）	1月、飾東村、神南村、的形村と合併。
1959（昭和34）	5月、大塩町と合併。
	11月、姫路民衆駅および駅前地下街完成。
1960（昭和35）	3月、名古山霊苑に仏舎利塔が完成。
1964（昭和39）	6月、姫路城天守閣解体復元工事「昭和の大修理」完工。
	9月、播磨臨海部が播磨工業整備特別地域に指定される。
1966（昭和41）	4月、姫路大博覧会開催。6月、市立水族館オープン。
1967（昭和42）	3月、林田町と合併。6月、姫路港が特定重要港湾に指定。
1972（昭和47）	3月、山陽新幹線新大阪—岡山間開通、姫路駅新設。
1973（昭和48）	11月、播但連絡有料道路、砥堀—福崎間開通。
1975（昭和50）	12月、国道2号姫路バイパス全線開通。
1980（昭和55）	4月、安田4丁目に新市庁舎完成、移転。
	5月、手柄山温室植物園オープン。
1983（昭和58）	4月、市立美術館、県立歴史博物館オープン。
1987（昭和62）	4月、姫路獨協大学開学。
1989（平成元）	3月、市制百周年記念行事「姫路百祭シロトピア博」開催。
	10月、音楽専用ホール「パルナソスホール」オープン。
1990（平成2）	4月、日本城郭研究センターオープン。
1991（平成3）	4月、姫路文学館オープン。
	9月、駅西再開発ビル「キャスパ」完成。

西暦（元号）	姫路の出来事
1992（平成4）	4月、好古園オープン。5月、星の子館オープン。
1993（平成5）	4月、姫路科学館オープン。
	12月、姫路城が日本で初めての世界文化遺産に指定。
1994（平成6）	12月（翌年12月まで）、姫路城世界遺産記念行事「キャスティバル'94」開催。
	7月、姫路市書写の里・美術工芸館オープン。
1995（平成7）	1月、阪神淡路大震災。姫路市でも震度4を記録。
1996（平成8）	4月、姫路市が中核市に移行。
	4月、水の館、平和資料館、姫路文学館南館オープン。
1997（平成9）	12月、山陽自動車道が全面開通。
2001（平成13）	7月、お城本町市街地再開発ビル（イーグレひめじ）完成。
2004（平成16）	4月、兵庫県立大学開学。
2005（平成17）	3月、JR山陽本線「姫路別所駅」開業。
	11月、埋蔵文化財センターオープン。
2006（平成18）	3月、JR山陽本線高架開通。
	3月、家島町、夢前町、香寺町、安富町の4町と合併。
2007（平成19）	4月、姫路市防災センターオープン。
2008（平成20）	3月、JR山陽本線「はりま勝原駅」開業。
	4月、姫路菓子博開催。12月、JR姫路駅周辺の高架化完了。
2009（平成21）	姫路城大天守保存修理事業に着手。
2011（平成23）	3月、姫路城大天守保存修理見学施設「天空の白鷺」オープン。11月、B-1グランプリin姫路開催。
2012（平成24）	1月、姫路駅北駅前広場の整備が本格化。
	10月、平成26年NHK大河ドラマに「軍師官兵衛」決定。
2013（平成25）	4月、新駅ビル北側地下に「サンクンガーデン」オープン。
	6月、姫路駅北駅前広場に「眺望デッキ」などがオープン。

監修者

中元　孝迪　播磨学研究所所長、兵庫県立大学特任教授
『BanCul』（公益財団法人 姫路市文化国際交流財団）編集長

執筆者（50音順）

鷹居　美紀　『BanCul』編集委員、フリーライター
谷川　恵一　『BanCul』副編集長、フリーライター
中川　秀昭　姫路城を守る会理事長、元姫路市立城郭研究室室長
冨士本　健　播磨学研究所研究員、姫路市教育員会文化財課嘱託職員
藤本　陽子　『BanCul』編集委員、元神戸新聞記者、フリーライター
藤原　龍雄　播磨学研究所事務局長、姫路市立好古学園大学校史学科講師
山崎　　整　兵庫県NIE推進協議会事務局長、ラジオ関西パーソナリティー、
神戸学院大学客員教授

＊本書では、諸説ある事項について、一般的と思われる内容で記述していますが、
他説を否定しているものではありません。

制作協力（50音順）
公益財団法人 姫路市文化国際交流財団『BanCul』編集室
公益財団法人 姫路・西はりま地場産業センター
播磨学研究所
姫路商工会議所

装丁デザイン
加村 恭子（佐藤武志デザイン事務所）

カバー撮影
石丸 孝二

姫路《ひめじ》ＢＯＯＫ

2013年10月2日　第1刷発行

監　修　中元《なかもと》　孝迪《たかみち》
編　集　姫路《ひめじ》ＢＯＯＫ編集委員会《へんしゅういいんかい》
発行者　吉見顕太郎
発行所　神戸新聞総合出版センター
〒650-0044 神戸市中央区東川崎町 1-5-7
TEL078-362-7140（代） FAX078-361-7552
http://www.kobe-np.co.jp/syuppan/
印　刷　図書印刷株式会社

ISBN978-4-343-00724-7　C0026